Le pauvre nouveau est arrivé !

Thierry Jonquet

Le pauvre nouveau est arrivé !

Librio

Texte intégral

Pour le père Humair,
qui m'enseigna les Évangiles, puis se défroqua...

PRÉFACE

La conversation, comme souvent avec l'ami Daeninckx, avait fini par dévier sur une nuisance contemporaine. Le nom de l'abbé Pierre, ce « Raspoutine des vide-ordures », selon une revue anarcho-surréaliste, nous était venu sur la langue tel un crachat antédiluvien. Ce dernier était alors, en 1990, au sommet de sa popularité. Journalistes et politiques baisaient sans répugnance aucune sa divine soutane.

Didier Daeninckx me souffla que Thierry Jonquet, dont j'avais déjà lu un ou deux Série Noire, avait un manuscrit sur le guide d'Emmaüs dans ses tiroirs. Les éditeurs l'avaient refusé au prétexte que son héros, le chanoine Jules, empruntait trop de ses traits au saint homme des médias.

Malgré une malchance chronique et quasi pathologique, j'avais été jusqu'alors épargné. Je n'avais jamais rencontré Jonquet. Je lui téléphonai. Il fut chaleureux comme une lame de guillotine au repos, mais accepta tout de même de se déplacer. Le visage fermé, la pipe au bec, il n'apprécia pas particulièrement la chaufferie qui nous tenait lieu de bureau à Paul Duflos et à moi. J'ai appris depuis, à mes dépens, que la mauvaise humeur est chez lui le signe d'une profonde jubilation.

Pour avoir vu Jonquet semer la panique dans un grand magasin parisien parce que les auteurs de polar avaient été relégués, le temps d'une signature, au rayon bricolage, je le sais capable du pire. Le meilleur étant dans une œuvre où le talent, une fois n'est pas coutume, est au diapason d'une imagination torturée par un siècle et une société qui, décidément, ne lui conviennent pas.

Introverti, amateur de mauvaises plaisanteries, admirateur du fondateur de l'Armée rouge au point de défendre les crimes — dont Cronstadt — de ce dernier, Jonquet est d'une telle mauvaise foi qu'elle garantit son honnêteté intellectuelle. Un écrivain est aussi la somme de ses contradictions et Jonquet, fort heureusement, n'en manque pas ! Ses livres sont des diamants noirs dont les sortilèges attendent notre visite.

Pierre Drachline

1

À la façon dont Foulereau s'empara des couverts à poisson, Didambert songea : « Ce type ressemble à un vautour ! »

Le repliement sec des phalanges sur le manche de la fourchette évoquait en effet la crispation des serres sur la chair putréfiée d'une quelconque charogne, tandis que le mouvement de l'avant-bras, tout en souplesse et nonchalance, s'apparentait au frémissement de l'aile, juste avant l'envol.

« Ridicule, rectifia mentalement Didambert. Voilà que je pense en clichés : ça fait épouvantablement peuple ! D'ailleurs, les vautours ne mangent jamais de poisson ! »

Foulereau avala la première bouchée de saumon, après avoir contemplé d'un œil gourmand le morceau de chair rose enveloppé de filaments verdâtres ; dans l'assiette, la purée d'oseille nappée de crème fraîche mariait ses teintes délicates aux motifs de ton plus soutenu qui décoraient la porcelaine.

Didambert saisit son verre entre le pouce et l'index, petit doigt tendu, puis le porta à ses lèvres. Il s'arrêta un instant, pour le savourer du regard.

La robe du sancerre, veloutée, le remplit d'aise. « Pas dégueulasse ! » se dit-il, alors que la gorgée de vin sombrait déjà vers les profondeurs de son œsophage.

— Alors, votre verdict ? murmura Foulereau, de sa voix cassée.

Son visage émacié, fendu par un long nez crochu surmonté de sourcils épais, s'était brusquement projeté vers l'avant, soutenu par un cou grêle où saillait une pomme d'Adam fort pointue.

L'ornithologie n'avait jamais passionné l'émissaire du groupe Hastings : si l'on avait voulu suivre Didambert dans sa tentative d'ébauche d'un bestiaire dont Foulereau eût été l'un des plus beaux fleurons, sans doute eût-il mieux valu classer le consultant du CABINET FOULEREAU & FOULEREAU FILS dans la famille des falconidés... Le vautour est en effet un charognard qui n'attaque jamais les proies vivantes, alors que les crécerelles et autres éperviers dédaignent les cadavres et ne consentent à se remplir la panse que si leur appétit a été aiguisé par le plaisir de la chasse. Certes, Foulereau n'était pas un aigle : ils ne se laissent jamais domestiquer ! À tout prendre, il se rapprochait du faucon, dont on couvre les yeux avant de le lâcher sur la proie, qu'il blesse servilement pour le compte de son maître.

Didambert se méfiait de Foulereau. Depuis le début de la « mission », il l'avait trimballé dans le labyrinthe des différents services de la Promotex, veillant sur lui du haut de sa suffisance de plénipotentiaire du groupe Hastings. À présent, le moment était venu de le laisser prendre son envol.

— Mon verdict, mon cher Foulereau ? fit Didambert.

Du plat de la main, il tapota le dossier rangé à ses côtés, sur la banquette.

— J'ai encore relu tout cela à tête reposée. J'approuve parfaitement les termes de votre stratégie. Chabot, le premier, ce doit être Chabot !

— Tsss, tsss, tsss... siffla Foulereau. Non pas Chabot comme vous diriez Dupont, Durand ou Charpentier ! Non : Étienne Chabot de Vaudricourt de la Musardière-Huzard !

— Oui ! s'écria Didambert. Ça en jette !

Aussitôt, il se mordit les lèvres d'avoir laissé échapper une expression si triviale.

— Si vous voulez... concéda Foulereau, indulgent. « Ça en jette ! » Étienne Chabot de Vaudricourt de la Musardière-Huzard ! Tout un programme ! Et le projet est de le ramener à Chabot Étienne. De casser le reste ! De réduire à néant la protection illusoire que confère la particule... Vous me suivez ? Alors les autres, ceux qui s'appellent simplement Durand, Dupont ou Charpentier, verront que nous n'hésitons pas à frapper haut, sans nous embarrasser de préséance. Ils saisiront d'emblée que la situation est grave ! Si nous liquidons Chabot, c'est le maillon faible qui rompt, la clé de voûte qui s'effrite...

— L'anse du panier qui casse... risqua Didambert.

— Mmmoui... Chabot éliminé, vous pourrez dévider la bobine sans heurts...

— Vous êtes cher, Foulereau, murmura Didambert, admiratif. Cher, mais efficace !

— De profundis, Chabot... ricana le consultant en levant son verre.

— De profundis... approuva Didambert.

Ainsi fut scellé le destin d'Étienne Chabot de Vaudricourt de la Musardière-Huzard, directeur du marketing de la Promotex, filiale française de la multinationale Hastings.

2

Après le repas, Didambert rentra chez lui. Il vivait aux confins de la vallée de Chevreuse, dans un petit château très m'as-tu-vu déniché par Edwige, son épouse.

Edwige Hastings, pimpante, très fraîche, s'était entichée d'Édouard, étudiant en droit à la recherche d'un bon parti. Ils se marièrent. N'eurent point d'enfant. Edwige était idiote et regardait passer sa vie, assise sur le bord du chemin, en pensant à des futilités. Elle jouait du violon, assez bien, et collectionnait les papillons, une manie contractée lors d'un séjour au Brésil sous la houlette de papa Hastings...

Ah, papa Hastings ! Dire les affaires que brassait cet homme serait impossible. Du rail de chemin de fer aux cosmétiques, de la pièce détachée de plate-forme offshore à l'huile d'olive lyophilisée, on trouvait de tout, dans les magasins Hastings. Accessoirement, Hastings avait donc un gendre. Édouard Didambert. Pas très brillant, mais bien brave.

Un mois avant l'entrevue entre Didambert et Foulereau, là-bas, loin aux Amériques, Hastings tomba sur un rapport lui indiquant qu'une petite merdouille d'infrasociété de sous-filiale de son empire éprouvait quelques difficultés de trésorerie. Alors papa Hastings se souleva légèrement sur son siège et, après un infime tremblotement de ses grosses fesses, expulsa un pet de ses puissantes entrailles.

Et ce pet, fluet au demeurant, à peine nauséabond, enfla et enfla encore, se transforma en vent pour traverser l'Atlantique, devenir tornade, puis cyclone, approcha des côtes françaises, où l'on pouvait suivre l'évolution par zone avec une dépression de 970 millibars située entre 57 degrés nord et 2 degrés est, mer agitée à forte.

Le pet de papa Hastings contourna la dépression, musarda entre Viking et Utsire, évita Fladen et Fisher, dédaigna Tyne et Dogger, zigzagua de German à Humbert, rebondit enfin de nord Gascogne à Sendettié... et ce qui n'était à l'origine qu'un tout petit soupir exhalé par l'anus hautain du grand Hastings vint déferler en tempête sur la vie d'Étienne Chabot de Vaudricourt de la Musardière-Huzard !

Home, sweet home. Au salon, Edwige était occupée à épingler dans une vitrine un spécimen de papillon cingha-lais que le correspondant local du groupe Hastings lui avait expédié, délicate attention, après l'avoir capturé dans un bosquet souillé par quelques cadavres tamouls.

Didambert se pencha sur son épouse et, tendrement, déposa un baiser sur sa nuque frêle et blanche. Par-dessus son épaule, il lut l'étiquette accompagnant l'insecte qu'Edwige fixait au fond d'un écrin de satin, empalé sur un minuscule pieu d'argent : *Megalura orsilochus*.

— Hello, Didi ! s'écria Edwige sans lever la tête...

Édouard détestait ce sobriquet, mais, de la part d'Edwige et du clan Hastings en général, il avait avalé bien d'autres couleuvres.

— *What did you do today*, Didi ? poursuivit Edwige.

— La même chose que vous, ma chère. J'ai épinglé un insecte au fond d'une boîte, mais il ne le sait pas encore...

— *Well, very interesting !* Comment s'appelle-t-il ?

— Oh, c'est un exemplaire banal, une espèce commune, mais en voie de disparition ! Aucun intérêt ! Et vous ? À quoi avez-vous occupé votre journée ?

— *But, Didi, did you forget ?* C'était aujourd'hui le banquet annuel de l'association ! Nous avons reçu le chanoine Jules !

— Comment ! Mais, que ne m'aviez-vous prévenu ? J'aurais été charmé de rencontrer le saint homme ! maugréa Édouard.

— Je vous l'avais dit, Didi, mon ami... mais vous êtes si distrait !

Didambert se mordit la lèvre et réprima un geste agacé. Au lieu de perdre son temps en compagnie de Foulereau, avec lequel tout était déjà réglé, il aurait pu se placer auprès du chanoine !

— C'était tragique, mon Didi, soupira Edwige, sans s'être aperçue de l'irritation d'Édouard. Tous ces pauvres affamés, quelle détresse... et l'hiver s'annonce rude !

Didambert hocha gravement la tête en se composant un faciès apitoyé. Il sourit à sa femme, qui s'était retournée. Le visage d'Edwige, habituellement fort disgracieux, était de surcroît déformé par la loupe qu'elle portait tel un monocle, afin de détailler à loisir les petites couilles velues de ses cafards bariolés. Il l'abandonna à ses maniaqueries, et partit téléphoner à Grantier. La conversation fut brève.

Oui, Edwige avait rencontré le chanoine. Rien ne pressait. Pour Noël, l'association présidée par Mme Didambert, Bonté et Charité bien ordonnées, mettait en place un gigantesque dispositif d'aide aux nécessiteux.

— Prévenez Durieux, le type des Hyper Burgers ! dit Grantier. J'en ai discuté avec lui : il est d'accord pour prêter ses locaux. Il faut le soigner, celui-là ! Il verse à fonds perdus pour le Rassemblement et il est modeste : une photo en compagnie du secrétaire et du chanoine, dans un de ses fast-food, c'est tout ce qu'il demande !

— Comme vous y allez, Grantier ! protesta Didambert. Nous marchons sur des œufs ! Le chanoine se méfie des opérations mercantiles ! Attention, il s'effarouche pour un rien ! Durieux va le faire fuir ! Croyez-moi, il faut procéder plus sournoisement...

— Bien, répliqua Grantier, voyez au mieux, mais grouillez-vous, le secrétaire s'impatiente !

Il raccrocha. Didambert sourit benoîtement. Pour approcher le chanoine, le Rassemblement avait besoin de lui ! Il était incontournable.

Près du combiné se trouvait un miroir. Édouard se redressa et, examinant son image dans la glace, posa. Il ne fut pas déçu, au premier abord. Mais ses dents lui déplurent. Quand il souriait, les canines de la mandibule supérieure faisaient saillie, longues et de guingois. Une grimace de carnassier timide, le dernier de la meute des coyotes, toujours déçu des restes du festin, celui à qui on ne laisse qu'un bout de fémur à ronger alors que les copains ont déjà tailladé la panse de la gazelle et sont là, repus, allongés dans la poussière, à roter de plaisir en digérant la bonne viande faisandée par quelques jours de moisissure au soleil brûlant...

Les dents, donc. Il faudrait les faire limer, pour passer à la télé, gommer le relief des crocs... ça devait faire mal, une histoire pareille ! Le nez n'était pas terrible, bosselé, asymétrique. Le front, dégarni, ressemblait de plus en plus à un pain de sucre. Et puis il y avait ce double menton, et même, oh, c'était presque imperceptible, un début de couperose, sur les joues.

Derrière cette trogne, il voyait poindre le masque amer d'Édouard Didambert, qui n'avait jamais rien fait d'autre que d'épouser le clan Hastings. Tout cela finirait bientôt. Grantier l'avait promis. On allait voir ce qu'on allait voir !

— Didambert... nous en sommes réduits à faire appel à ce genre de personnage... bah ! marmonna Dartaud. Que lui avez-vous promis, en échange ?

— Une petite circonscription anodine... Une fois élu, il nous foutra la paix !

Dartaud toisa Grantier avec une moue méprisante, puis se leva et vint se placer devant une des fenêtres du bureau. Grantier eut un regard pour le portrait de l'ancêtre, accroché au mur. L'uniforme, le dédain goguenard qu'arborait le vieillard, tout cela, c'était la jeunesse de Grantier. Il avait servi cet homme comme un chien fidèle, dès le début. Puis l'ancêtre était mort, et Dartaud incarnait aujourd'hui la tradition. Grantier, vieux grognard à la caboche dure comme pierre, n'aimait guère Dartaud. Mais il fallait servir, c'était sa raison d'être.

Le secrétaire se pencha pour apercevoir les gardes républicains plantés en faction dans la cour d'honneur de la mairie. Il avait toujours nourri une tendresse secrète à leur égard. Ils lui rappelaient les petits soldats de plomb de son enfance, avec leur uniforme désuet, leur sabre d'opérette, leur chevaux empanachés.

Quand Dartaud se fut emparé de la mairie, après une campagne à l'arraché, rien ne lui fit tant plaisir, ni la servilité de la presse, ni la sollicitude empressée de ses rivaux au sein du Rassemblement, que ce peloton de cavaliers qui lui rendait les honneurs en fanfare à chaque cérémonie. Un jour qu'il était pompette après un banquet, il se dirigea même vers l'un d'eux et, d'un geste solennel, lui pinça le lobe de l'oreille avant de pouffer de rire. Grantier était intervenu et, saisissant fermement le secrétaire sous l'aisselle pour mieux le soutenir, l'avait entraîné à l'écart.

— Dites-moi, Grantier, reprit Dartaud, le groupe Hastings éprouve de petites difficultés, me suis-je laissé dire ?

— Non, ils épurent. Ils vont se débarrasser de quelques branches mortes, mais le tronc est sain !

— Et le chanoine ?

— Il s'agite, ça ne va pas être simple. C'est un ours. Mais, croyez-moi, il ne faut pas lui envoyer une fine lame, il se méfierait aussitôt. Didambert est le client idéal. Officiellement, il n'est pas lié à nous. Il n'est pas adhérent du Rassemblement. Il sera parfait pour les manœuvres d'approche. Ensuite, il faudra trouver un relais, évidemment.

— C'est bien, c'est très bien... conclut Dartaud en étouffant un bâillement.

Grantier, comprenant que l'entretien touchait à sa fin, se leva et tendit la main au secrétaire.

« Un peu voûté, le grand-père, songea celui-ci alors que Grantier s'éloignait, mais il fera encore de l'usage. »

Puis Dartaud fixa gravement le portrait de l'ancêtre.

« Ah, mon cher et vieux pays... soupira-t-il. Nous voici à nouveau face à face... »

Les élections approchaient. Le Rassemblement, après

quelques années de débine, espérait revenir à la tête des affaires. Dartaud avait beaucoup de soucis...

Sous le képi, le visage ridé de l'ancêtre lui sembla se plisser en un clin d'œil complice. Dartaud sursauta, effrayé. Ce n'était qu'un courant d'air, qui, caressant le double rideau, avait permis au soleil d'éclairer un bref instant le cuir tanné de la face du vieillard... Dartaud se plut à imaginer qu'il s'agissait là d'un soupir alangui de l'Histoire.

3

À l'origine, Gustave Foulereau était entrepreneur de pompes funèbres. Il tenait une petite échoppe prospère près du Père-Lachaise. Son ouvrier marbrier était un des ténors de la partie, et Foulereau, grâce à lui, obtint même en 1982 la distinction honorifique qui récompense les croque-morts les plus méritants : la BIÈRE D'OR. Le trophée ornait la cheminée de la salle à manger et provoquait l'admiration envieuse des visiteurs. Las, emporté par une pleurésie dans la force de l'âge, le marbrier laissa Foulereau démuni. Dès lors, la boutique s'étiola. On ne faisait plus que le tout-venant, par habitude. Plus question de capitonnage haut de gamme. Foulereau, abattu, se laissa aller au sapin vulgaire, à la fleur de plastique, pour tout dire, à la tombe de supermarché... Gustave reporta cependant tous ses espoirs sur Hubert, son fils unique, qu'il poussait dans ses études. Le jeune homme excellait dans des sciences qui, aux yeux de son vieil artisan de père, passaient pour absconses : économie, psychologie du travail, gestion du personnel, bref, du sérieux. Hubert atteignit la fin de son cursus sous l'œil attendri de Gustave. En sus d'une robuste constitution que semblait démentir sa longue carcasse filiforme aux épaules maigres et voûtées, le rejeton avait puisé dans l'attirail génétique de la famille Foulereau un ustensile qui, d'ordinaire, prête à rire si d'aventure il connaît un développement trop généreux : un nez imposant.

Celui de Gustave était de taille respectable, cossu. Celui d'Hubert, beaucoup plus effilé, pointait résolument, comme une sirène à la proue d'un bateau. Qu'importe le flacon ? Tapies par-delà les narines rétrécies, les fosses nasales d'Hubert, protégées par une armée de poils barrant la route à mille impuretés, repéraient à cent verstes à la ronde une odeur à nulle autre pareille : celle de la mort.

Fort de cet atout, le jeune homme aurait pu reprendre le périclitant commerce paternel et lui insuffler un nouvel essor. Il dédaigna une telle facilité. Non point par orgueil. Par ambition... Cette extraordinaire faculté à détecter les effluves de cadavre, il allait l'utiliser à bien meilleur escient !

Un soir d'hiver ténébreux, alors que père et fils étaient attablés devant un haricot de mouton, la décision fut prise. On céderait le pas-de-porte à un concurrent ravi de l'aubaine, on braderait la marchandise restante, et on irait s'installer dans des bureaux modernes, au cœur de la ville !

FOULEREAU & FOULEREAU FILS/CABINET CONSEIL. Tel était l'emblème. Il s'agissait d'une œuvre salutaire. Gustave, des années durant, avait débarrassé ses contemporains des corps promis à la putréfaction. Son fils Hubert, lui, soulagerait les entreprises des scories humaines qui, par inertie, voire malveillance, leur rongeaient la carcasse.

On venait le voir avec des dossiers touffus. Foulereau junior rendait sa sentence. À grands coups de ciseaux, il taillait des coupes claires dans les listings d'employés. Sa renommée crût en prestige en l'espace de quelques mois. Peu à peu, le Cabinet Foulereau & Foulereau Fils devint un des premiers de la place. Retors, fourbe, pervers, mielleux, sournois, Hubert possédait toutes les qualités pour réussir. Bonhomme, Gustave lui servait de nounou. Quand le fils séchait devant un problème, le vieil instinct professionnel du père venait à la rescousse. Ainsi la rigueur scientifique se nourrissait-elle des recettes ancestrales dont les aînés sont les garants et que seule la tradition orale peut transmettre. La vraie méchanceté, l'authentique saloperie, ne saurait en effet s'énoncer en des traités savants. Elle doit se murmurer de bouche à oreille, se chuchoter dans les recoins obscurs. Elle n'accepte pas de se laisser coucher sur le papier, ne peut tolérer de voir sa laideur explicitée, mise à nu en lettres noires...

Rapidement, Hubert Foulereau fut amené à dédaigner les contrats mineurs pour se consacrer aux grandes affaires. Au début de sa carrière, il condescendait à déployer ses manœuvres perfides contre des femmes de ménage, des accidentés du travail, des syndicalistes par trop vindicatifs. Bientôt, il abandonna ce menu fretin à des confrères moins brillants et consacra tout son talent à la chasse au gros : il devint LE spécialiste du safari anticadres.

Une telle renommée attira naturellement l'attention d'Édouard Didambert quand fut venue l'heure de liquider la PROMOTEX, filiale déclinante du consortium Hastings-France.

Dont Étienne Chabot de Vaudricourt de la Musardière-Huzard était directeur du marketing...

4

Solidement calée sur un support de fonte, la marmite supportait placidement la flamme bleutée qui lui mordait le fondement. Juste à côté, une bouteille de Butagaz alimentait le feu. C'était une très grosse marmite. Tout autour, on avait installé des barrières. Par sécurité, on avait éloigné les cartons et détritus qui jonchaient les trottoirs du carrefour. Sur le boulevard de Belleville, les voitures filaient dans la nuit. Un quarteron de gardiens de la paix repoussaient les badauds qui voulaient à tout prix approcher. Les techniciens de la télévision éprouvaient les plus grandes difficultés à installer leur matériel, emmêlant les câbles des caméras, les perches de prise de son, l'alimentation des générateurs.

Frais comme la romaine, émoustillé par la gravité tranquille du décor, Patrick Savatier, l'un des présentateurs vedettes des journaux T.V., frétillait d'impatience.

— Vas-y pour les essais ! hurla-t-il à l'intention du responsable de l'image.

Celui-ci fit pivoter la caméra sur son support et, en un long travelling, prit en enfilade l'attroupement silencieux de pauvres bougres qui patientaient en rang par deux. La file d'attente serpentait de la façade du Prisunic jusqu'aux abords immédiats de la marmite, et, de temps à autre, un frémissement la parcourait.

Soudain, on entendit un sifflement, accompagné d'un nuage de fumée odorante. Le contenu de la marmite entrait en ébullition. Les effluves de choux, de poireaux, d'oignons se répandirent alentour. Bientôt, la foule n'eut d'yeux que pour les soubresauts du couvercle, soulevé par les jets de vapeur que dégageait la soupe.

— Oh ! s'extasiaient certains.

— Ah ! criaient d'autres.

Les cris se fondirent en un chœur unique qui clama sa joie à l'unisson des mouvements du couvercle. Ceux-ci s'accélérèrent et la foule régla son soupir sur ce crescendo. Ce fut un grand coït vocal, un accouplement collectif avec la marmite.

— Ah ouiiii... ouiiii... oui... hurlait Savatier, de plus en plus vite.

Mais tout fut interrompu par l'arrivée klaxonnante d'une camionnette bleue ornée d'une grande croix blanche.

— On y va ! s'écria Savatier, soudain calmé.

La caméra effectua un zoom foudroyant sur la porte du véhicule. Celle-ci s'ouvrit et un petit homme malingre vêtu d'une soutane et d'une cape, coiffé d'un large béret, sauta sur le sol. La canne à la main, le chanoine Jules salua la foule en levant les bras.

— Jésus, Jésus ! hurla-t-il.

— Jésus ! Jésus ! répondit l'assistance, galvanisée.

Le chanoine fendit les rangs pour pénétrer dans l'enclos de barrières qui entourait la marmite. Son visage apparaissait maintenant en gros plan sur les écrans de télévision. Un visage austère, blême, à la pâleur encore soulignée par la barbe broussailleuse qui masquait le menton, et dans lequel flamboyait un regard illuminé par la foi. Le chanoine écarta les pans de sa cape et le zoom vint cadrer la Légion d'honneur qui ornait discrètement le revers de la soutane. Celle-ci n'était pas de la première fraîcheur et s'effrangeait même sur les talons. De lourds godillots à la semelle cloutée qui n'avaient pas connu le cirage depuis bien longtemps venaient compléter le look dépouillé du personnage.

— Il est là, le voici, c'est émouvant ! balbutiait Savatier, cramponné à son micro.

— Jésus ! Jésus ! hurla de nouveau le chanoine.

— Ouais... Jésus, Jésus ! répondit la foule, docile.

Mais quelques voix éraillées firent entendre une autre supplication, moins mystique, plus triviale.

— À bouffer, ça suffit les conneries !

— Patience, mes frères ! rétorqua le chanoine.

Et, sans faire plus de cérémonie, il se débarrassa de sa cape, retroussa les manches de sa soutane, fit basculer le couvercle de la marmite, puis entreprit de touiller la soupe avec vigueur, à l'aide de sa canne qu'il plongea à l'intérieur du récipient.

— C'est pour pas que ça attache au fond, mes frères ! dit-il, sans un regard pour le micro que lui tendait Savatier.

— Eh bien, sanglotait celui-ci, tant de simplicité nous va droit au cœur et nous interpelle, nous tous, vous et moi, qui retrouvons chaque soir la chaleur d'un foyer alors que tant de malheureux sont à la rue, sans abri...

Le cameraman cadrait à présent les mains noueuses du chanoine, agrippées à la canne, et qui imprimaient à celle-ci un mouvement rotatif. Il faisait froid et l'haleine du religieux se mêlait aux vapeurs exhalées par la marmite.

— Approchez, mes frères, voilà le rata !

Pinçant les lèvres, le chanoine imita le clairon annonçant l'arrivée du repas aux valeureux conscrits. Aussitôt, un essaim de nonnes encapuchonnées de noir organisèrent la distribution. Un par un, les pelés, les crasseux, les galeux, les loqueteux défilèrent, le front bas mais l'œil humide, devant Jules qui, armé d'une louche, déversait une ration de soupe dans les gamelles de fer-blanc que proposaient ses complices à cornettes.

— Jésus ! Jésus ! Allez, les gars, Jésus ! criait-il.

Mais l'écho ne lui renvoyait qu'une cacophonie de lapements, de succions, de mastications furieuses, bientôt ponctuée de rots sonores.

— Jésus ! cria le chanoine, allez, c'est les dernières gamelles les meilleures, y a toute la viande au fond ! Au rabiot, mes frères !

Les plus goulus avaient déjà retrouvé une place dans la file et tendaient derechef leur gamelle. La distribution était à peine terminée que, déjà, des rangs de la pauvraille rassasiée montaient les premières mesures d'un concert de flatulences. La puanteur fut rapidement diluée dans les gaz émis par un camion diesel qui démarrait en trombe du carrefour tout proche.

Le chanoine avait déjà revêtu sa cape et, essuyant sa canne dégoulinante de soupe à l'aide d'un ample mouchoir à carreaux, adressa un dernier salut à ses ouailles d'un soir.

— Joie ! Allégresse ! Fraternité ! Jésus ! Jésus !

Il disparut dans la camionnette qui s'éloigna sans tarder. Savatier, les larmes aux yeux, annonça que Jules quittait Belleville pour gagner la banlieue nord où d'autres distributions de soupe auraient lieu dans la soirée.

Les techniciens remballèrent leur matériel en un temps record, rembarquant câbles, micros et caméras dans les voitures estampillées du logo de la chaîne. Les policiers enfournèrent les barrières dans un de leurs cars et, cinq minutes plus tard, il ne restait rien de la mise en scène, hormis les figurants. Hébétés, la gamelle encore fumante à la main, ils contemplaient fixement les immeubles aux fenêtres desquels des badauds avaient assisté à la scène.

Le rêve s'était évanoui. Il ne subsistait que quelques ballonnements au creux de l'intestin. Après une minute d'hésitation, la pauvraille s'ébroua. La meute de traîne-misère que guettait le froid de la nuit se disloqua. Chacun, d'un pas lourd et lent, s'en fut retrouver sa bouche de chaleur, sa porte cochère, son tas de cartons pour les plus malchanceux...

Un gamin croisa un trio de ces cloches harnachées de vieilles capotes militaires à la taille serrée par une ficelle. Il avait assisté au show du chanoine et le singea, criant : « Jésus ! Jésus ! » en levant les bras au ciel.

Avec une rapidité que n'aurait pas laissé présager cette silhouette boudinée sous ses haillons, le premier des trois vagabonds tendit soudain le bras et sa main crasseuse, aux ongles noirs, vint frapper le gosse en pleine face. Celui-ci tomba à la renverse et laissa rouler sur le trottoir la baguette chaude et croustillante qu'il venait d'acheter. Elle disparut sous le pan d'une capote, après quoi les trois clochards s'éloignèrent en ricanant. Assis sur le bitume, le gamin sanglotait. Comme pris d'un remords subit, l'un des clodos fit demi-tour et revint près de l'enfant. D'un geste vif, il lui expédia un coup de pied dans les côtes avant de s'éloigner de nouveau.

5

À treize heures tapantes, ce jeudi 8 décembre, le personnel de la PROMOTEX quitta les bureaux pour aller déjeuner, comme tous les jours. La tour qui abritait le siège de la société se vida de sa substance, du haut vers le bas. Le self de la piétaille était situé au rez-de-chaussée. Mais quelques molécules, ignorantes du flux dominant, évoluaient en sens inverse ; le restaurant des cadres occupait le dernier étage de la tour. S'il faisait beau, on pouvait s'installer sur la terrasse et jouir ainsi du gai spectacle de La Défense.

Au 22e étage, seul dans son bureau, un homme attendait. Étienne Chabot de Vaudricourt de la Musardière-Huzard avait rendez-vous avec Hubert Foulereau.

Un mois plus tôt, Édouard Didambert avait débarqué à la réunion bihebdomadaire du staff de direction de la branche marketing en compagnie de Foulereau, « consultant en organisation ». Il présenta Hubert, expliqua qu'il effectuait une mission d'« audit » pour le compte de la direction générale.

— Oh oui, un audit ! approuvèrent les managers présents. Oui, ça se fait beaucoup, ces temps-ci, pourquoi pas nous, en effet ?

La réunion reprit son cours mais Étienne, inquiet, ne prêta qu'une oreille distraite au bavardage de ses collègues. Cela n'avait guère d'importance. On ressassait toujours les mêmes banalités, noyées dans un jargon hermétique.

— Zéro défaut, zéro défaut, voilà notre credo ! s'écriait l'un, à une extrémité de la longue table.

— Absolument, les flux tendus, les flux tendus, c'est notre seul salut ! assenait un second, que personne n'écoutait.

C'était creux, redondant, et les participants sacrifiaient à ce rite en traînant les pieds pour la plupart. Bien entendu, un petit pool de boutonneux agressifs, avides de gravir les échelons de la hiérarchie dans les meilleurs délais, montaient sur leurs ergots pour mieux se faire valoir de la direction générale. Leur caquetage était assourdissant, mais on s'y faisait vite. Foulereau observait sans mot dire. Étienne apprécia ce silence à sa juste mesure. Dans les hautes sphères, on préparait un coup tordu. Mais lequel ? Aussi ne fut-il pas surpris lorsque Foulereau, un mois plus tard, le convia à déjeuner en tête à tête, ce jeudi 8 décembre.

Foulereau pénétra dans le bureau, lança un tonitruant « Bonjour Chabot ! ». Le patronyme à géométrie variable d'Étienne avait toujours embarrassé ses interlocuteurs et la coutume, à la PROMOTEX, était de l'appeler de Vaudricourt. On évitait ainsi de trébucher sur la spirale annoncée par la première particule, en dédaignant la Musardière-Huzard. La consonance trop roturière du Chabot seul n'était pas envisageable, sauf à vouloir blesser Étienne. De Vaudricourt était donc le juste milieu.

Foulereau se mit à parler très vite. Étienne ne perçut que le sens général du propos : restaurant-trop-de-monde-ailleurs-plus-tranquille-ma-voiture... Une demi-heure plus tard, ils s'installaient à une des tables du *Train bleu*, au-dessus de la gare de Lyon.

— Ah ! soupira Foulereau. Le train, les voyages, il n'y a pas de place pour tous ces plaisirs, dans notre vie... un manager est toujours sur la brèche !

Étienne demeurait silencieux. Foulereau le répugnait. Son haleine fade lui agaçait l'odorat. Foulereau avait l'élégance des croque-morts, qu'on ne vantera jamais assez. Grisaille du costume, maintien engoncé... un art de vivre !

Sans être un dandy, le marquis se laissait aller à un grain

de fantaisie dans sa vêture. Costumes prince-de-galles, chemises aux teintes pastel, quant aux cravates, il se targuait d'en posséder une collection confortable si bien qu'on ne pouvait dire s'il avait jamais porté deux fois la même. Grand, élancé, les tempes grisonnantes, M. de Vaudricourt portait beau.

Ils commandèrent les plats, les vins. Durant toute la première partie du repas, ils n'échangèrent que des banalités. C'était, si l'on peut dire, la phase durant laquelle le rapace tournoie dans le ciel afin de repérer sa proie. Puis, quand c'est chose faite, il effectue encore quelques figures, pour le plaisir, avant de se décider à piquer. Ce que Foulereau fit en attaquant l'omelette norvégienne.

— Catastrophique, le bilan de la Promotex, pour les deux années passées, lâcha-t-il, la bouche pleine.

— Les Japonais... soupira Étienne.

La Promotex avait toujours été, depuis sa création, le numéro un mondial de la fleur artificielle. Au fil des ans, la gamme de ses produits s'était diversifiée. Elle proposait des arbrisseaux en plastique, des fac-similés de plantes exotiques, pur vinyle. Un marché colossal qui intéressait l'industrie funéraire, la salle d'attente de dentiste, le décorum de pizzeria, et même l'intérieur bourgeois en ce qui concerne le haut de gamme du catalogue.

Dès son arrivée dans la société, vingt ans plus tôt, M. de Vaudricourt avait lancé une corbeille de fruits factices — bananes, prunes, ananas, pommes —, une véritable révolution dans le domaine de la contrefaçon. Des chaumières du Morbihan aux masures d'Auvergne en passant par les H.L.M. de la grande couronne, ce fut un engouement irrésistible pour ces fruits en toc aux teintes criardes. On les vit sur toutes les tables en Formica, alors que la montagne est belle, pourtant.

Le succès foudroyant de la « corbeille de Vaudricourt » suffit à asseoir définitivement la position de son promoteur au sein de la hiérarchie complexe de la firme. Étienne avait terrassé ses jeunes collègues.

Tout allait donc pour le mieux dans le meilleur des mondes jusqu'à ce que, à Tokyo, un gang d'imitateurs nippons conçoive l'idée de fabriquer de faux steaks frites, de soi-disant salades de soja, des langoustes bidon, destinés à figurer dans les vitrines des restaurateurs afin de protéger les produits authentiques des miasmes engendrés par la circulation automobile... La réputation des ateliers de conception de la Promotex reçut un coup mortel. Hastings-le-

Grand décida de passer l'éponge sur l'histoire haute en couleur de cette société.

Il fallait procéder en douceur. Le consortium Hastings-France regroupait bien d'autres secteurs d'activités et, en aucun cas, le naufrage de la PROMOTEX ne devait entraîner une crise de confiance quant à la bonne assise du groupe.

Étienne n'ignorait rien de l'effritement irrémédiable des positions de la PROMOTEX.

— Nous luttons, risqua-t-il. La récente campagne publicitaire que j'ai lancée...

— Ah! parlons-en, le coupa Foulereau. Vous avez engagé des sommes colossales dans des spots télé, pour un résultat quasiment nul !

Étienne hocha la tête. Il n'était pas question d'embobiner le consultant. Depuis son arrivée à la PROMOTEX, un mois plus tôt, il fouinait dans tous les comptes.

— Chabot ! reprit Foulereau. Je ne vais pas vous raconter de salades. Hastings a décidé de liquider la PROMOTEX !

Étienne pâlit et chercha à dissimuler son trouble en allumant un cigare.

— L'acte de vente du siège est déjà signé. Les usines vont fermer. L'armée rachète les brevets de la gamme « Forêts et sous-bois », ils sont intéressés par la reconversion de ces produits dans le camouflage. Mais c'est tout ce que nous pouvons sauver. Hastings ne veut pas de scandale, pas d'occupation, pas de mutinerie de cadres aigris... Nous comptons sur vous, Chabot !

— Sur moi ? J'avoue ne pas saisir...

— Vous allez démissionner, Chabot ! Vous êtes l'âme de la PROMOTEX. C'est grâce à vous qu'elle a connu ses plus brillantes réussites. Si vous partez, toute l'équipe de direction comprendra que les carottes sont cuites ! Bien entendu, vous serez réemployé dans une autre filiale du groupe. Une expérience telle que la vôtre ne peut pas être négligée... Mais il faudra attendre un peu que la situation se tasse. D'après mes prévisions, votre départ entraînera une hémorragie à la PROMOTEX. Tout ce que la boîte compte de gens intelligents saisira que vous avez voulu quitter le navire avant qu'il ne coule ! Ce sera un choc psychologique salutaire. Ils vous imiteront. Seuls les imbéciles et les inadaptés s'accrocheront ! Ceux-là...

Foulereau eut un geste fataliste. Puis il garda le silence. Lentement, le marquis digérait le verdict. Vingt ans ! Vingt ans de sa vie consacrés avec passion à la fabrication de fleurs en plastique allaient partir en fumée ! Étienne venait d'atteindre la cinquantaine et l'entreprise à laquelle il avait voué son existence s'écroulait sous les coups de boutoir de la concurrence... Il hocha tristement la tête et songea que l'on entrait dans une époque d'où la poésie serait bannie. Il n'y avait plus de place pour des créateurs tels que lui, qui apportaient à leurs frères humains un peu de rêve à bon marché.

— Hastings compte sur vous, de Vaudricourt ! Ne nous décevez pas ! Je propose de ne pas perdre de temps. Cet après-midi même, vous rédigerez votre lettre de démission. Voici un modèle...

Hagard, Étienne prit le formulaire que lui tendait Foulereau.

— Cette lettre expose les difficultés de la PROMOTEX, la nécessité de mettre fin à la gabegie, de transférer les capitaux vers des secteurs plus porteurs... Le siège est un repaire de concierges. Si vous remettez votre lettre ce soir, je parie que demain midi, au self, on ne parlera que de ça !

— Bien... consentit Étienne. Et pourrais-je savoir ce que le groupe me propose en échange ?

Foulereau sourit de ses dents jaunes. Il posa la main sur l'avant-bras du marquis.

— Cela prendra quelques semaines... Il ne faut pas que la petite bande d'incapables qui infestent la PROMOTEX s'imaginent qu'ils seront tous recasés ! Nous conserverons les meilleurs ! Votre reconversion devra donc être discrète.

Étienne était suspendu à ses lèvres.

— La SOCOFIX... chuchota Foulereau. Le directeur du marketing est très malade...

Étienne sursauta. La SOCOFIX ! Ils allaient le recaser à la SOCOFIX ! Le joyau du consortium ! Le numéro 1 mondial de l'article religieux ! Depuis la vague islamique, elle connaissait un bond prodigieux de son chiffre d'affaires ! Sa maquette de La Mecque avec éclairage à piles s'était vendue à plusieurs millions d'exemplaires ! Le bazar de Téhéran en fourguait à la tonne, littéralement ! Le malheureux qui n'avait pas les moyens de s'offrir le pèlerinage se consolait en regardant clignoter le modèle réduit !

— La SOCOFIX... balbutia Étienne, médusé.

— Mais oui, vous êtes l'homme de la situation... Évidemment, tout cela est top secret ! Marché conclu ?

— Marché conclu !

Deux heures plus tard, M. de Vaudricourt dictait à sa secrétaire une lettre en tous points semblable à celle que lui avait confiée Foulereau. À dix-huit heures, il rangea dans son attaché-case les quelques bibelots personnels qui ornaient son bureau et, suivant les consignes de Foulereau, sortit sans dire adieu à quiconque.

Sur le parvis de La Défense, il se retourna et leva les yeux vers le sommet de la tour. Les souvenirs de l'inauguration lui revinrent en mémoire. Une larme perla même à sa paupière en souvenir du temps jadis. Exit la PROMOTEX, se dit-il, mon vieil Étienne, l'avenir est à toi ! SOCOFIX, à nous deux !

Il rejoignit le parking où était garée sa voiture et, au passage, acheta une rose thé à une marchande ambulante. Sa senteur était délicate et ses pétales soyeux. Bien entendu, cela ne valait pas la 712 BXB de la gamme « Paradis », mais, ce soir-là, Étienne était d'humeur indulgente...

6

Sur la route du retour, le marquis fut en proie à des pensées contradictoires. Un fol espoir le tenaillait : celui d'extirper la lignée des Vaudricourt de l'ornière catastrophique dans laquelle elle était embourbée depuis tant de siècles ! Mais, sitôt qu'il se prenait à rêver, il sentait monter en lui une indicible angoisse. N'allait-il pas succomber, lui, le dernier descendant mâle du clan, à la guigne la plus cruelle, la poisse la plus abjecte, l'insondable déveine qui avait miné l'existence de tous les Vaudricourt depuis que Louis Chabot, à l'orée du XIVe siècle, avait fondé par sa semence cette microdynastie honnie de Dieu ?

Étienne vivait dans la banlieue cossue des bords de Marne, à Chennevières, dans une coquette villa entourée de saules pleureurs. Quittant La Défense, il s'engagea sur le périphérique et, tout le long du trajet, revécut, comme en un cauchemar, les riches heures de la saga familiale.

La première fois que l'Histoire, qui n'avait sans doute rien de consistant à se mettre sous la dent ce jour-là, se pencha sur un Chabot, ce fut pourtant avec une certaine bienveillance : Louis fut l'un des compagnons du connétable Du Guesclin dont il sauva la vie lors de la prise de Moissac en 1370. En récompense de sa bravoure, il reçut le titre de marquis ainsi que quelques arpents de terre, sis dans la Bretagne farouche, près de Vannes, au milieu des landes de Lanvaux. Il y mourut de sa belle mort, vers 1385. Les générations suivantes se tinrent à peu près tranquilles, se contentant de guerres locales. Après quelques rossées administrées à des nobliaux récalcitrants, ils annexèrent les terres de la Musardière et celles du hameau d'Huzard, respectivement en 1437 et 1628. Ils vécurent médiocrement, près de leurs serfs.

Une telle modestie ne convint point à Arnaud de Vaudricourt, qui voulut connaître un grand destin politique. Il participa donc à la conspiration de Pontcallec, en 1719. Le funeste soir du 6 octobre, sur les neuf cents conjurés attendus dans la forêt de La Nouée, seuls quinze se présentèrent, parmi eux, cela va sans dire, le sieur Arnaud, qui fut exécuté le 26 mars 1720 à Nantes.

Une telle bourde tempéra quelque peu l'ardeur du rejeton de Vaudricourt, Noël. Son fils, qui fit parler de lui en confirmant le mauvais pli qu'étaient en train de prendre les Chabot, se prénommait Yves. Un fin politique, comme son grand-père. Le 16 mai 1791, le comte Axel de Fersen cherche des hommes sûrs afin de préparer la fuite du roi... et rencontre le de Vaudricourt de permanence historique, qu'il charge de préparer un relais, à Varennes. La grande habileté d'Yves, sa discrétion scrupuleuse le conduisirent tout droit à la guillotine.

Une malédiction accable-t-elle le clan des Vaudricourt ? C'est ce que déduit de ces funestes présages Guénolé, fils du précédent. Il laisse passer l'orage révolutionnaire, ignore la politique et étudie la botanique auprès du grand Parmentier, qui avait introduit la pomme de terre en Europe.

Aux Amériques, Guénolé s'entiche de la noix de coco, s'émerveille de ses mille vertus et engage toute la fortune familiale dans un vaste projet d'importation... Bientôt, sur les terres pourtant si fertiles de la Musardière et d'Huzard, s'étiolent d'étranges arbres ravinés par le crachin breton. Guénolé s'enferre, dédaigneux des sarcasmes dont l'abreuvent les autochtones. Il meurt de chagrin et de jalousie envers Parmentier, son maître, dont les hideux tubercules envahissent le monde.

Étienne essuya une larme à la pensée de son malheureux aïeul, mais déjà surgissait devant ses yeux la silhouette altière de Philibert de Vaudricourt...

18 juin 1815. Sur la plaine de Waterloo, les fumées de la bataille sont âcres à la gorge du capitaine de Vaudricourt, qui sert au 17e dragon. Dans la brume, il distingue les colbacks à flamme, les sabretaches flottantes, les buffleteries croisées, les dolmans des hussards, les shakos enguirlandés

de torsades. La journée a été rude et Philibert se repose, sans pour autant descendre de cheval. Tout à coup, sur les hauteurs de Frischemont, apparaît une lignée de baïonnettes. L'Empereur interroge Soult.

— Que voyez-vous là-bas, vers Chapelle-Saint-Lambert ?

Soult, aveuglé par la poussière, hèle le fringant capitaine qui s'agite tout près de là. Il lui tend sa longue-vue.

— Que voyez-vous, de Vaudricourt ?

Et Philibert de répondre : « Quatre ou cinq mille hommes, c'est Grouchy ! »

Évidemment, c'était Blücher.

Seul dans sa voiture, Étienne blasphéma. Il reprocha à Dieu de s'être encore acharné. Car le petit-fils de Philibert, Robert de Vaudricourt, ne semblait rien avoir appris des funestes tentatives de ceux de sa race...

1870. Paris est assiégé par les Prussiens. Le gouvernement demeure dans la capitale. Coupé du reste du pays, Jules Favre décide d'envoyer des émissaires en province. On prépare un ballon. Gambetta conduira la délégation qui s'envole début octobre. Dans la nacelle, au côté de l'illustre Gambetta, son humble secrétaire, Robert de Vaudricourt.

Le ballon s'élève avec majesté dans les airs. Il s'éloigne de la ville, mais un vent mauvais le ramène brusquement vers le sol, à tel point que les occupants de la nacelle peuvent distinguer les casques à pointe d'une patrouille de uhlans, au détour d'un bois. Panique.

— Lâchez tout le lest, de Vaudricourt ! ordonne Gambetta.

Le jeune homme s'empare des cordages reliant un gros sac de sable à la nacelle d'osier. Il délie les nœuds et s'apprête à jeter le sac à terre. La corde, enroulée autour de son poignet, lui déchire la peau. Il ne peut s'en défaire et bascule avec le sac par-dessus bord, pour s'écraser soixante mètres plus bas...

Le calvaire des Vaudricourt n'est pas terminé pour autant. Le petit-fils de Robert, Rodolphe, se voit investi de la lourde charge de réussir sa vie, coûte que coûte, pour sauver l'honneur du blason.

En 1912, le jeune homme sort de Saint-Cyr avec le grade de lieutenant. Les terres de la Musardière avaient quelque peu rapporté durant les décennies précédentes. Rodolphe, que l'agriculture révulse, nomme un intendant chargé de gérer le domaine, et place les bénéfices en souscrivant aux emprunts russes, avant de rejoindre son régiment.

Dans un cabaret parisien, un soir de permission, durant le terrible hiver 1915, il assiste à la danse envoûtante d'une jeune femme qui devient sa maîtresse. Quand Mata Hari sera confondue pour espionnage, un des premiers noms qu'elle citera parmi la liste de ses lubriques informateurs sera celui de Rodolphe de Vaudricourt.

Étienne ne tentait plus de contenir ses sanglots. Il ne manquait qu'un maillon à cette chaîne pitoyable. Un maillon proche.

Son propre père, Désiré de Vaudricourt, dont les manuels d'histoire, si cruels envers les Chabot, ne citent même pas le nom. Le chef-d'œuvre de la vie de Désiré est pourtant passé à la postérité, mais sa renommée fut attribuée à l'innocent ministre de la Guerre qui trouva l'idée de l'ingénieur Désiré digne de Vauban : aujourd'hui, un demi-siècle après le drame, qui sait qu'un Vaudricourt suggéra à M. Maginot de construire sa fameuse « ligne » ?

Lorsque les hordes teutonnes contournèrent tout simplement le mur de béton de Désiré, celui-ci, stupéfait, fut pris d'un fou rire nerveux qui ne le quitta plus durant les trente années qui lui restaient à vivre. Il mourut en 1970, à l'âge de quatre-vingt-sept ans, seul, dans sa chambre du manoir de Vaudricourt, laissant derrière lui Étienne et Berthe, ses deux enfants...

Étienne engagea sa voiture sur la petite allée de gravier qui menait à sa villa. Très jeune, il avait quitté le manoir et la région de Vannes, fuyant les fantômes de la famille. Résolu à se tenir à l'écart de toute aventure politique ou militaire, décidé à ne rien tenter d'excessif dans le domaine du commerce, il avait fait carrière à la PROMOTEX, jusqu'à ce 8 décembre où le destin lui faisait signe. La proposition de Foulereau, prendre la direction de la prestigieuse SOCO-FIX, allait-elle lui permettre de racheter l'honneur du clan ? Un de Vaudricourt terminerait-il sa vie sans être mêlé à quelque catastrophe ?

Étienne avait pris connaissance de la pitoyable épopée des Vaudricourt dès son adolescence. Ce fut un choc. Il se demanda si une telle succession de calamités n'était pas due à une tare génétique qui aurait empoisonné le sang de ses ancêtres... oui, un virus ayant choisi comme terrain de prédilection la chair rose des bébés mâles nés dans le manoir ! La science se gaussait d'une telle hypothèse. Mais peut-être, s'interrogea Étienne, l'air du domaine était-il infesté d'une manière de bactérie perfide, tapie dans les moisissures des boiseries du manoir, et qui, au fil des générations, aurait amolli les cellules du cortex de ses aïeux ? Pour plus de sécurité, il était venu s'établir en région parisienne, loin de la lande bretonne, de ses brouillards, où rôdait — qui sait ? — l'ignoble fléau...

Tremblant, le front mouillé de sueur, les mains moites, serrant les miches, le marquis de Vaudricourt s'en fut annoncer la nouvelle de sa mutation inespérée à son épouse Henriette.

Pour fêter dignement l'événement, il l'emmena souper au restaurant. Sur les bords de Marne, ils s'installèrent à une table fleurie. Étienne, au dessert et pour la quatrième fois de la soirée, narra son entrevue en compagnie de Foulereau. Il était un peu éméché, ainsi qu'Henriette.

Ils échangèrent quelques caresses furtives avant de rentrer au bercail. Ils se blottirent l'un près de l'autre sur le canapé, se bécotant comme jadis, devant le grand feu qui crépitait dans la cheminée...

— Voyez-vous, Rirette, roucoula Étienne, je crois que nous allons nous offrir de petites vacances avant ma prise de fonction à la SOCOFIX. Que diriez-vous d'une croisière sur le Nil ?

— Allons, allons... minauda Henriette, vous me tentez avec des folies !

7

Une semaine passa. Le marquis et sa moitié visitaient les Pyramides, photographiaient les crocodiles et versaient quantité de bakchichs à leurs guides. Féerie des oasis, mystère du désert, Étienne croyait vivre un conte des Mille et Une Nuits.

Durant cet intermède exotique, Édouard Didambert redoubla d'ardeur pour approcher l'impétueux chanoine Jules. Son épouse Edwige, en prélude au Noël des miséreux, organisa un goûter le 17 décembre, dans le métro, à la station Saint-Lazare. Les dames patronnesses de l'association Bonté et Charité bien ordonnées avaient revêtu leur robe du dimanche et tartiné de pleines brassées de sandwiches.

Toute la cloche s'était donné rendez-vous. De Gallieni/

Pont-de-Levallois, La Chapelle/Mairie d'Issy, les rames déversèrent des bottes de pauvres alléchés par la promesse d'un repas gratuit. En rangs serrés, jouant des coudes pour gagner les premières places, la fine fleur de la misère parisienne envahit les couloirs, arrosant les voyageurs de puces nourries au sang de malchanceux et impatientes de s'abreuver de plasma riche en cholestérol.

La grande salle des guichets de la station répercutait les échos majestueux d'un cantique grégorien déversé par la sono de Bonté et Charité. Seul, sur une estrade face à la foule, le chanoine Jules harangua le populo.

— Salut, frères ! C'est Jésus qu'est le plus fort ! Il nous aime tous sans distinction de race, de couleur ou de pognon ! s'écria-t-il en guise d'introduction.

Comme on le voit, le vocabulaire du franciscain s'était quelque peu abâtardi au contact de ses brebis. Il faut signaler à sa décharge qu'il avait toujours eu le courage de les recruter dans les bas-fonds de la mouise. Aussi ses prêches bénéficiaient-ils d'un certain punch. Mais, si le phrasé était peu orthodoxe, le contenu aurait séduit un prélat ensoutané chez Dior.

— Ouais, j'vous l'dis, Jésus est amûr, amûur, amûûûr ! Venez tous vous réchauffer, j'suis vot'charbon ardent !

— Y fait pas froid dans le métro ! glapit un anonyme.

— Je l'sais, hé, pomme ! rétorqua le chanoine. J'disais juste ça pour l'image ! Venez tous ! Approchez pour connaître la Révélation de la Vie Amûûûr qu'est l'Éternel !

Dans un recoin de la salle, dissimulés derrière une colonne, Grantier et Didambert assistaient au show.

— Ce type est une bête de scène ! s'extasia Grantier.

— C'est un expert en communication ! renchérit Didambert.

— Ah, si nous pouvions le recruter... murmura Grantier. Regardez ! Ils sont tous sous le charme ! Il les fascine !

— Et vous qui mangez à vot'faim ! hurlait le chanoine en agitant un poing menaçant, donnez, donnez pour que nous puissions nourrir les miséreux !

Les dames patronnesses de l'association, Edwige en tête, fondirent sur les voyageurs qui regagnaient la banlieue et qui, attirés par la musique, avaient commis l'erreur de s'attarder un instant. Secouant leurs sébiles, les sœurs se plantèrent devant les badauds, le regard larmoyant. Les usagers du métro fouillèrent leurs poches en maugréant...

— J'entends des pièces ! grogna le chanoine. Malédiction ! Vous qui implorez la miséricorde du Tout-Puissant qui est amûûr, donnez, donnez plus que quelques sous !

À regret, les banlieusards sortirent les billets.

— Fantastique, ricana Grantier, vous avez vu comment il leur fait cracher le pognon, à tous ces tordus ?

— Hum ! toussota Didambert, qui faisait mine d'être choqué par les propos du vieux renard. Ne parlez pas si fort !

— Il nous le faut ! Il nous le faut ! reprit Grantier. Écoutez, mon petit Édouard, si vous parvenez à nous l'amener sur un plateau, ce n'est pas un siège à la Chambre que je vous garantis, c'est un maroquin !

La musique avait repris et Jules poursuivait son prêche. Les pauvres n'écoutaient plus, trop occupés à manger, quant à leurs frères « charitables », ils prenaient le large, en douce, l'un après l'autre.

— Oui, Jésus ! Jésus ! hurlait le chanoine. Jésus nous voit tous ! Il voit les nantis, ceux qui gaspillent et méprisent leur prochain, ceux qui bâfrent alors que d'autres se serrent la ceinture !

— Ah, ça, c'est plus gênant ! maugréa Grantier. Il ne faudrait pas qu'il nous serine avec ses...

— Ne craignez rien, l'interrompit Didambert, attendez la suite !

— Mais, reprit Jules, Jésus, qui est amûûûûr, sur sa croix, il en avait gros sur la patate ! Est-ce qu'il s'est révolté ? Hein ? Qui c'est qui peut répondre ? Parce que je vais vous dire, moi, avec la puissance divine qu'il avait dans les paluches, le Fils du Tout-Puissant, il aurait pu leur foutre la tannée, aux Romains ! Et que je te colle un cyclone sur le séant, et que je te refile la chtouille à Ponce Pilate, et hop, c'était réglé en cinq sec ! Hé ben non, amûûûûûûr ! amûûûûr, qu'il était, le môme à Marie ! Tendons la joue, qu'il leur a dit, à ses disciples, dans mon royaume des cieux, les derniers seront les premiers, et tout et tout... où mène la violence, où mène la révolte ? Hein, mes frères ? Nulle part ! Et maintenant, on prie tous en chœur !

— Ah ! il est vraiment bien ! Parfait ! Il est parfait ! jubilait Grantier.

— N'est-ce pas ? gloussa Didambert. Vous voyez ça d'ici, le chanoine à la tribune des meetings du Rassemblement, en compagnie du secrétaire, de Lille à Béziers, de Quimper à Mulhouse ?

— De Dunkerque à Tamanrasset... soupira Grantier, nostalgique.

— Allons-y doucement ! conclut Édouard. Il faut le manier avec prudence !

Ils rejoignirent Edwige qui frétillait près du chanoine.

Le vieil homme, bourru, timide, écoutait ses louanges en contemplant le bout de ses godillots.

— Chanoine, permettez-moi de vous présenter M. Grantier...

Jules serra la main de l'adjoint du secrétaire.

— Mon père, dit celui-ci, je vous convie à rencontrer notre ami Durieux, directeur d'une chaîne de fast-food. Il est prêt à vous livrer des repas à bas prix, pour vos œuvres...

Titubant, le chanoine Jules descendit de la voiture de maître. Il hésita un peu avant de reconnaître le bloc H.L.M. qu'il habitait, à Nanterre. Grantier et Didambert lui adressèrent un petit signe de la main avant de s'éloigner. Après la séance de Saint-Lazare, Jules s'était laissé entraîner chez Durieux-des-fast-food et, au cours de la petite réception organisée en son honneur, avait forcé sur le beaujolais. Les petits fours dont on l'avait gavé ne purent suffire à éponger le désastre.

À grand-peine, il gravit l'escalier et pénétra dans son deux-pièces. C'était pauvre et propre. Le living était occupé par un bureau encombré de paperasseries : la comptabilité des Biffins d'Esaü, la société d'entraide que le chanoine avait créée dans les années 60. Une chapelle rudimentaire, composée d'un autel surmonté d'une statue de saint François, ornait la chambre.

Jules se versa un dernier coup de pinard en fredonnant un cantique. Puis il étala le chèque que lui avait remis Durieux-des-fast-food, bien à plat sur la toile cirée qui couvrait la table. Une somme fort coquette qui représentait à elle seule quelques milliers d'heures de labeur de tous les fameux Biffins réunis. Jules pouffa de rire. Dès le lendemain, il le porterait à la banque. Dans la foulée, il avait accepté de participer à un banquet que présiderait Dartaud, le secrétaire du Rassemblement. Jules siffla le reste de vin et s'affala sur son lit, les bras en croix, sur le dos. La tête lui tournait. D'une main hésitante, il retroussa sa soutane et trifouilla sa braguette, sans résultat. Ah... du temps du séminaire, comme il était doux de se taper une petite pignole dans la solitude de la cellule, après complies. Bien sûr, c'était un péché, mais le révérend père Eusèbe savait se montrer indulgent, et, au confessionnal, il évacuait rapidement le problème de la chair. Il prononçait « cheurre », avançant les lèvres en cul-de-poule. Outre les pignoles, Jules se souvenait du petit Louison, enfant de chœur de la paroisse Saint-Joseph, où, jeune vicaire, il célébra ses premières messes. L'adolescent était si naïf, si serviable... son aube froufroutante laissait deviner le galbe de la fesse, lorsqu'il se penchait pour servir le vin de messe. Ah, nostalgie de la jeunesse !

Jules sombra dans un sommeil ponctué de puissants ronflements.

Cuvant son beaujolais, il dormit toute la nuit. La bouche pâteuse, il s'éveilla fort tard, dérangé par un rayon de soleil qui se faufilait au travers des persiennes et vint lui chatouiller le nez.

Jules se leva et contempla la banlieue ouatée d'une brume matinale. Aussitôt, il s'en fut s'agenouiller sur son prie-Dieu, après avoir pissé un coup.

— *Mmrmmrmr... ecce, advenit dominator Dominus... mrmr... et regnum in manus ejus et potestas et imperium... mrmrmr... et Gloria patri et filio et spiritui sancto sicut erat in principio mrmrmr et nunc et semper et in saecula saeculorum... amen !* Ah !... s'écria-t-il, une bonne petite prière pour chasser la gueule de bois, y a qu'ça de vrai !

Mais, alors qu'il se relevait, un rayon flamboyant perfora le ciel bas et lourd, s'incurva et vint frapper Jules, qui courba la tête.

— Jules... Jules... Jules...

La voix était grave, caverneuse. C'était Sa voix, à Lui. Jules se mit à trembler. Depuis quelque temps, le Très-Haut condescendait à parler au chanoine, surtout le matin.

— Jules... Jules... M'entends-tu ?

— Quatre sur cinq seulement, ô Seigneur ! J'ai... j'ai un peu picolé hier soir ! avoua Jules.

Le rayon redoubla d'intensité et effleura la barbe du chanoine, dont quelques poils roussirent. Jules comprit que le Très-Haut était en colère.

— Je l'f'rai plus, Seigneur ! sanglota-t-il.

— Bougre d'abruti ! tonna La voix. Je me contrefous que tu picoles ! Ce n'est pas ce misérable petit péché de rien du tout qui provoque Mon courroux !

— Ah bon ?

— On m'a dit que tu t'étais encore laissé embobiner par la canaille !

— C'est qu'ils m'ont remis un chèque pour mes pauvres ! plaida Jules, en rentrant la tête dans les épaules.

Tassé sur son prie-Dieu, il s'attendait à recevoir une raclée en bonne et due forme à coups de rayon, mais il sentit passer sur sa nuque le souffle divin. C'était un soupir très doux, parfumé d'encens.

— Ah ! Jules... se lamenta le Seigneur. Mon pauvre Jules ! Que fais-tu de Mon enseignement ? Combien de fois t'ai-je expliqué ? Avec Mon infinie bonté, Mon infinie patience ?

— Pardon, ô Seigneur...

— N'implore pas, misérable ! gronda La voix.

Le rayon crépita et Jules sentit une morsure brûlante sur sa joue.

— Combien de fois t'ai-je menacé des flammes de l'enfer si tu t'obstinais dans la voie de la collaboration de classes ? Crétin !

— Je fais de mon mieux, ô Seigneur ! protesta faiblement Jules en portant la main à sa blessure.

— Silence ! C'est pourtant simple, nom de Moi ! s'écria le Tout-Puissant. Reprenons là où nous en étions la dernière fois ! Récite un peu !

— Le capital-extorque-la-plus-value-à-la-classe-ouvrière... ânonna Jules.

— Ah ! ah ! on fait des progrès... susurra La voix. Allez, va chercher ton cahier !

Jules s'installa à la table, tailla son crayon. Et, une fois de plus, le Seigneur exposa ses préceptes d'amour.

Un quart d'heure plus tard, la leçon durait toujours. L'élève se faisait durement tirer l'oreille.

— C'est pourtant simple, Jules ! s'énervait le Très-Haut. La chute tendancielle, oui, ten-dan-cielle, écris plus vite ! Tendancielle du taux de profit amène la récession lors de laquelle le capital brise les forces productives ! Jules, enfin, c'est élémentaire !

Le chanoine écoutait. Religieusement.

— Bon, soupira le Seigneur. Voyons si tu sais au moins le premier cours... Qu'est-ce qui détermine la valeur d'échange d'une marchandise ?

— Ah, elle est dure, celle-là, Seigneur ! Attendez, j'y suis ! *C'est la quantité de travail socialement nécessaire pour la produire !* J'ai bon, Seigneur ?

— C'est bien, Mon fils, c'est bien... Pour la semaine prochaine tu me réviseras la composition organique du capital ! Tu te souviens, n'est-ce pas ? C sur c+v et tout ce qui en découle...

— Tes vœux seront exaucés, Seigneur, murmura Jules après avoir regagné son prie-Dieu.

— Mais cesse donc de te prosterner ainsi ! Un peu de dignité, que dia... ah, tu m'en fais bafouiller ! Jules ! Je fonde de grands espoirs sur toi, à condition que tu veuilles bien t'amender ! Tu es Jules, et sur Jules je rebâtirai mon Église ! Car, vois-tu, je n'ai plus grand-monde de présentable ! À part de gras pantouflards qui s'endorment au moindre cantique, nom de Moi ! Et l'autre Polack qui se prend pour... pour...

Le Seigneur s'étranglait d'indignation.

— C'est une mauvaise passe, ça va se tasser, ô Seigneur ! s'écria Jules.

— Mon troupeau se disperse ! reprit La voix. Je sens que ça foire dans les siècles des siècles, en vérité je te le dis... prie et médite, car je suis l'Unique !

Soudain, le rai de lumière se tarit. Le chanoine se retrouva seul, à mi-chemin entre Dieu et les hommes. La tâche était rude. À maintes reprises, le Tout-Puissant s'était confié à Jules, son serviteur le plus dévoué. Il lui avait dit la colère des humbles qui arrivaient au ciel furieux de s'être laissé gruger toute leur vie.

Depuis un petit siècle, le Seigneur recevait régulièrement la visite de Karl. Un brave garçon, certes un peu bougon, mais qui ne disait pas que des sottises. Karl connaissait avec ses disciples les mêmes déboires que le Seigneur. On tripatouillait le dogme, on sombrait dans la corruption en se foutant du populo crédule... Tant d'efforts pour en arriver à ce désastre !

Jules était atterré par ces révélations. Il n'osait contredire le Seigneur de crainte d'être *illico* muté chez Belzébuth. Que faire ? À l'évidence, du côté divin, ça ne tournait plus très rond. Mais Jules, humble brebis dans l'immense troupeau humain, ne pouvait brandir l'étendard de la révolte contre le Créateur...

8

Le marquis de Vaudricourt revint en grande forme de son voyage en Égypte. Ignorant le conseil de Foulereau, il ne tint pas en place et alla se présenter dès le lendemain de son retour au siège de sa nouvelle filiale, près de l'Opéra. Il prit un air important, assécha ses paumes moites, remit en place un épi qui pointait sur sa tempe et se fit annoncer au directeur général. Celui-ci l'écouta d'une oreille bienveillante. Étienne eut quelques paroles apitoyées pour le directeur du marketing, dont Foulereau lui avait narré l'état de santé des plus alarmants, puis esquissa à grands traits les lignes directrices de la stratégie commerciale qu'il avait concoctée à l'ombre de la pyramide de Khéops.

Cela tenait en quelques mots : profiter du regain islamique pour amasser du cash et réinvestir très vite sur le créneau chrétien classique, bien plus fiable à long terme selon Étienne. Le marquis avait réfléchi à une campagne de spots télévisés, rythmée par les fêtes traditionnelles. Noël était trop proche, mais, à l'occasion de Pâques, il proposait de lancer un modèle de crucifix révolutionnaire, un Jésus incassable en fibre de polyester, pleurant vraiment, saignant à foison. La technique moderne le permettait. Ne voyait-on pas, au rayon jouets des grandes surfaces, des poupées criantes de vérité, qui faisaient pipi et versaient des larmes suivant l'inclinaison qu'on leur faisait prendre ?

— Croyez-moi, affirma Étienne, il faut être résolument moderne. L'article religieux chrétien s'essouffle et ne rencontre plus les faveurs du public. Comment s'étonner d'un tel marasme à l'époque de l'informatique ? Il faut mettre la bondieuserie à l'heure de Silicon Valley ! La vieille bigote reste attachée à la croix de marbre et de bronze, certes, mais les jeunes ? Ils réclament du neuf, du Jésus high-tech ! Du Jésus qui parle, du Jésus dont les yeux brillent, du Jésus E.T. Fabriquons des jeux : « Ressuscite toi-même Lazare avec Kid Jésus ! », « Toi et tes amis, multipliez les pains avec le coffret Big Jésus ! » En d'autres termes, déclinons l'image sainte, associons-la aux gestes de la vie quotidienne... Pourquoi pas la « boisson de Jésus », le « jeu de fléchettes Judas » ? Mmm ?

À la fin de sa tirade, Étienne était essoufflé. Le directeur général l'observait d'un œil froid, mais, brusquement, il partit d'un grand éclat de rire.

— Génial... dit-il après s'être calmé. G-É-N-I-A-L !

Il se pencha sur son bureau, appuya sur une ribambelle de boutons, décrocha quelques téléphones, lança des ordres. Il saisit Étienne par le coude, avec prévenance, et le conduisit à la grande salle de conférences de la SOCOFIX. Arrivés en catastrophe, les cadres de la firme attendaient en chuchotant.

— Parlez-leur... s'écria le directeur général.

Étienne s'éclaircit la voix, se présenta, et répéta son discours. Comme précédemment, un silence glacial précéda l'énorme éclat de rire qui salua la fin de son envolée. Lorsque les managers de la SOCOFIX se furent calmés, ils applaudirent Étienne.

— Bravo... bravo... fantastique, une attraction sensationnelle, jamais on n'avait autant ri...

Médusé, le marquis resta cloué sur son fauteuil, la bouche ouverte.

— Monsieur de Vaudricourt, reprit le directeur général, je crains fort que vous ne fassiez fausse route... À la Soco-FIX, nous avons longuement réfléchi et nous avons décidé d'infléchir notre culture d'entreprise, comprenez-vous ? Depuis deux ans, tous nos cadres se sont convertis à l'islam ! Et vous, misérable infidèle, vous venez nous amuser avec vos Évangiles...

Un grand costaud s'adressa à son tour à Étienne.

— Jésus, Jésus ? Mais c'est complètement ringard ! La religion du troisième millénaire, croyez-moi, mon pauvre ami, ce sera l'islam. Du musclé, du solide, du costaud. Assez d'encens, assez d'hostie au goût insipide ! Toute votre quincaillerie est beaucoup trop compliquée ! L'Eucharistie, la Résurrection, la Nativité, comment voulez-vous qu'on s'y retrouve ? Harassé par sa journée de travail, l'homme du futur exigera un dogme limpide ! Soutane, confessionnal, crucifix, calice, encensoir... une telle prolifération de gadgets ne fait qu'embrouiller l'esprit ! Nous, nous proposons le tapis de prière, suffisant à tous les offices... Un seul lieu, La Mecque ! Pas de dispersion entre Jérusalem, Rome, Lourdes ou Fatima !

— Inch Allah ! reprit le directeur général. M. le directeur du marketing a parlé d'or !

— Le... le directeur du marketing ? balbutia Étienne. Mais on m'avait dit qu'il était très malade... Je... je ne comprends plus...

— On vous a berné ! ricana le directeur général. Les infidèles passent leur temps à de telles vilenies... Méditez cela, et, si vous voulez vous convertir, revenez nous voir...

Il frappa dans ses mains pour signifier que la récréation était terminée. Les cadres s'égaillèrent. Un huissier en djellaba reconduisit le marquis jusqu'à la porte.

Étienne se reprit, monta dans sa voiture et fonça à La Défense, jusqu'au siège de la PROMOTEX. Le parvis était envahi de manifestants porteurs de pancartes. Les slogans fusaient : « PROMOTEX vivra ! », « Vive la fleur française, les Nippons au Japon ! » Un cordon de C.R.S. barrait l'entrée du siège. Des délégations d'usines qui travaillaient pour PROMOTEX continuaient d'affluer. Étienne évita de se mêler à la canaille et s'en fut trouver l'officier qui commandait le détachement de police. Il lui montra la carte magnétique qui lui permettait jadis d'accéder à tous les services de la filiale. L'officier se gratta la tête et envoya un sous-fifre accompagner ce de Vaudricourt jusqu'à l'entrée...

Derrière les portes de verre, Didambert guettait.

— Chassez cet agitateur ! hurla-t-il. Il n'appartient plus à l'entreprise !

On refoula le marquis, qui n'en revenait pas. Tant de fourberie le laissait pantois. Mais bientôt, sur le parvis, la situation tourna en eau de boudin. On s'énervait. Des coups furent échangés, et les C.R.S. chargèrent. Mêlé à la plèbe, Étienne reçut une bonne raclée. Il perdit son attaché-case, ses lunettes. Sa veste fut déchirée. Un coup à l'estomac le fit vomir. Il trouva encore la force de crier :

— Je suis le directeur du marketing !

Les C.R.S., à cet instant, refluaient. Étonnés, les manifestants observèrent Étienne et un dirigeant syndical avec lequel il avait négocié l'année précédente le reconnut.

— C'est vrai, c'est un de ces salauds ! confirma-t-il.

On fit cercle autour du malheureux Chabot. Fous de rage, les manifestants l'agrippèrent, le tirèrent à hue et à dia en lui administrant force coups de pied au cul.

— Salaud, pourri, affameur ! lui lança une femme en lui assenant un uppercut à l'aide de son parapluie.

— Préparez le goudron et les plumes ! beugla un solide gaillard en le ceinturant.

Étienne crut que sa dernière heure était venue. Allait-il finir décapité par la racaille, comme son ancêtre Louis ? L'image hideuse de la guillotine lui envahit l'esprit. Terrifié, le marquis connut la honte : ses sphincters le trahirent... il s'évanouit.

Quand il s'éveilla, la nuit était tombée. On l'avait traîné près de l'entrée du R.E.R. Il n'avait plus de chaussures, plus de veste, sa chemise était souillée de vomissures, son visage n'était plus qu'une ecchymose. En dessous de la ceinture, c'était carrément la Berezina.

Un petit groupe de clochards approcha. Si pitoyables qu'ils fussent, ils étaient bien plus présentables que le marquis.

— Ho, visez le collègue ! s'écria l'un d'eux. Il pue !

— Il a dû s'envoyer une de ces bitures pour être dans un état pareil, diagnostiqua un autre.

Ils prirent place autour de lui et entourèrent ses épaules d'une couverture. Étienne narra sa mésaventure. Il parlait avec de grandes difficultés tant ses lèvres étaient gonflées. Les clodos ne saisirent pas grand-chose sinon que les flics étaient responsables de ses souffrances. Ses compagnons sortirent trois bouteilles de vin d'un sac de toile de jute et les décapsulèrent.

— Te bile plus, frérot ! dirent-ils. On est là, tu risques plus rien ! Allez, siffle un gorgeon !

Étienne, ému par tant de sollicitude, but goulûment.

— Je suis le marquis Chabot de Vaudricourt de la Musardière-Huzard ! proclama-t-il après avoir roté.

— Hé ! les potes, il est rien farce le collègue ! s'esclaffa celui des vagabonds qui lui avait passé la bouteille.

Dix minutes plus tard, Étienne avait torché son litre de kiravi. Le choc émotionnel, la grande fatigue qui en résultait firent qu'il était fin pété.

— Ah, ça ira, ça ira... les aristocrates à la lanterne ! chantait-il à tue-tête en se dandinant sur le quai.

Ce chant sacrilège prenait valeur d'exorcisme dans la bouche du marquis. D'autres bouteilles suivirent. On but. La joyeuse compagnie n'opposa aucune résistance quand les bleus débarquèrent.

Étienne Chabot de Vaudricourt de la Musardière-Huzard n'avait jamais croisé les bleus. Ils vivaient dans un monde parallèle, une autre galaxie, celle des limbes d'un enfer dont le marquis n'aurait jamais pu soupçonner l'existence !

Leur uniforme est bleu, d'où le sobriquet. Une combinaison de garagiste étudiée pour les protéger de la crasse, puisque leur tâche consiste à la manier. Éboueurs de déchets vivants, les bleus sillonnent la ville dans leurs longs cars aux fenêtres opaques. On les voit circuler furtivement puis s'arrêter soudain au détour d'une rue pour embarquer la cloche en haillons afin de la conduire à l'hospice de Nanterre. Là, derrière les murs de brique nue, on se saisit du pauvre, on le dévêt, le désinfecte. Plus tard, on le relâchera dans la rue, pour l'y laisser s'ébattre en toute liberté, jusqu'à ce que la crasse le rende de nouveau insupportable à la vue du non-pauvre.

Fin saoul, Étienne ne se rendit pas compte que les bleus le transportaient à l'intérieur du car. Il était plongé dans un abominable cauchemar. Ses aïeux dansaient la ronde autour de lui et chantaient cette comptine infernale :

> *À la tienne, Étienne,*
> *Le dernier de la lignée !*
> *Rejoins-nous dans la déveine.*
> *Et vive la nullité !*

— Ah ! le salaud ! Celui-là, il a chié !

La voix tonitruante du bleu ramena le marquis à la réalité.

— Ouste ! Dehors !

Étienne descendit du car et fut propulsé dans un couloir au sol glissant. Il aboutit dans le vestiaire des douches de l'hospice.

— À poil tout le monde ! beugla le préposé à l'hygiène, un fonctionnaire rougeaud équipé de bottes en caoutchouc.

Étienne eut un geste de révolte, mais les odeurs nauséabondes dans lesquelles il baignait le dissuadèrent de protester. Comme les autres, il se mit nu. Couvrant pudiquement son sexe de ses mains jointes, il se tint contre le mur pour dissimuler ses fesses gluantes de merde. La douche brûlante le saisit. On l'aspergea d'un liquide jaunâtre à la senteur âcre.

À la sortie de la douche, il dut enfiler un pyjama douteux. On le conduisit jusqu'au réfectoire où un bol de soupe fumante l'attendait. Hagard, il mangea. Il n'osait regarder autour de lui. Plus tard, il s'assit sur un banc. On lui avait donné un carton marqué 542, le numéro de son lit.

9

C'était rouge, c'était vert, c'était bleu, c'était merveilleux. Il y avait des chromes, des pneus à flancs blancs, des enjoliveurs, des fanfreluches, des décalcomanies d'images pieuses sur le pare-brise... Le chanoine Jules tournait autour du camion en battant des mains, excité comme un gosse le soir du 24 décembre.

— C'est trop beau, c'est si beau... répétait-il.

Un ouvrier peintre achevait de dessiner une grande croix bleue, l'emblème des Biffins d'Esaü sur une des portières.

— Il vous plaît ? demanda Grantier.

— C'est trop beau... c'est trop beau ! sanglota Jules.

— Ah ! je dois dire que Durieux n'a pas lésiné sur la qualité ! s'écria Didambert ! N'est-ce pas, Durieux ?

À cet instant, un large pan découpé dans la carrosserie s'abattit, dévoilant l'intérieur du camion. Durieux, majestueux, trônait devant les mirifiques installations culinaires que contenait le véhicule.

— Alors là, mon père, expliqua-t-il, vous avez la friteuse : dernier cri de la technique, un débit de quatre cents portions à l'heure ! On introduit des patates ici, et tout se fait automatiquement : épluchage, coupe, cuisson, les frites tombent dans le tuyau que voici et, du tuyau, directement dans les sachets, que voilà !

Le chanoine suivait la démonstration, bouche bée. Il monta dans le camion et toucha d'un doigt timide les merveilles que lui montrait le roi du fast-food.

— Et les casse-croûte, comment c'est qu'ils cuisent ? demanda-t-il.

— Ah, mon père, fort simplement ! Une minute dans le micro-ondes et hop, vous les déposez sur ces galeries pour qu'ils restent chauds ! Là, sur ce présentoir, vous avez les accessoires, le ketchup...

— Le ketcheupe ?

— Oui, mon père, c'est une sorte de sauce tomate sucrée ! C'est américain !

— Une sauce tomate sucrée ? Ça va plaire à mes pauvres ?

— Et comment, mon père, il faut vivre avec son temps !

— C'est trop beau, Jésus, c'est trop beau !

— Heu, vous pourriez commencer une petite tournée la semaine prochaine... Attendez, regardez par ici, mon père, souriez aux photographes...

Les flashes crépitèrent.

— Dès la semaine prochaine ? s'étonna Jules.

— Rapprochez-vous de M. Durieux, mon père... poursuivit Grantier. Oui, dès la semaine prochaine ! Justement, le secrétaire du Rassemblement tient une série de meetings en proche province : Meaux, Rouen, Beauvais ! Suivez-le avec votre camion et la télévision parlera de vous !

— L'impact médiatique sera considérable ! renchérit Didambert.

— L'impact médiatique ? répéta Jules, ahuri.

Il délaissa les deux compères et tourna autour du camion, émerveillé.

— C'est le moment de mettre le paquet, chuchota Grantier... Regardez-le ! Il est amoureux de ce tas de ferraille !

— Ne forçons pas la dose ! Prudence ! répliqua Édouard en tordant la bouche pour que Jules n'entende pas.

10

Fortement ébranlé par son aventure, Étienne garda le lit trois jours de suite. Dès qu'il sortait du sommeil, il pleurait, se lamentait, puis restait prostré. Henriette s'occupait de lui, mais gardait ses distances. Étienne vécut la froideur de son épouse comme un abandon. Sur ses conseils, il écrivit à Didambert pour lui demander des explications. Il reçut par retour du courrier une lettre très sèche dans laquelle le gendre Hastings s'étonnait des récriminations du marquis, qui avait donné sa démission de la PROMOTEX, abandonnant d'ailleurs la firme à un tournant difficile. Une telle attitude, précisait Didambert, lui interdisait à tout jamais de briguer un emploi dans une des filiales du consortium.

— Vous voilà chômeur, conclut Henriette, après avoir lu le courrier. À votre âge, vous ne retrouverez jamais de travail...

— Ne m'accablez pas ! supplia Étienne. On me chasse de mon emploi, on me bat, ma femme me tourmente, ah, qu'ai-je fait pour mériter tout cela ?

— Rien du tout, mon ami, murmura Henriette, fielleuse. Vous êtes un raté, comme tous vos ancêtres !

Elle le laissa. Oui, la malédiction, qui accablait la lignée depuis tant de générations, ne s'était pas éteinte... Étienne voyait un gouffre s'ouvrir devant ses pas. Il ne possédait que quelques rachitiques économies. Le manoir de Vaudricourt ne valait pas un clou. Sa sœur Berthe, qui y vivait, réclamait sans cesse de l'argent pour les différentes réparations et Étienne savait fort bien que les chèques qu'il expédiait régulièrement finançaient en vérité les lubies de la donzelle.

La dernière en date était l'élevage. Berthe avait acheté l'année précédente quelques truies ainsi que deux verrats. Elle massacrait consciencieusement leur descendance pour fabriquer une charcuterie dont personne ne voulait dans la région.

Auparavant, Berthe s'était entichée de sculpture. D'énormes blocs de granit hérissaient les terres du manoir. À la vue de ces silhouettes phalliques qui pointaient au milieu des ajoncs, les paysans du cru marmonnaient des imprécations où revenait sans cesse l'accusation de sorcellerie.

Il y eut également une phase psychiatrique. Berthe de Vaudricourt avait ouvert un centre d'accueil pour zinzins, mais le maire de la commune était intervenu pour mettre le holà. Les maboules recrutés par la sœur du marquis furent chassés de la contrée et Étienne dut régler les ardoises laissées dans les assommoirs qui grouillaient sur la place du village. Les séances d'exhibition de ces énergumènes, à la sortie de la messe, avaient fait déborder le vase.

Telle était la situation. Étienne, reprenant courage, se releva peu à peu de sa dépression. Il se mit en quête d'un nouvel employeur. Il courut de droite à gauche et s'essouffla en vain. On ne voulait pas de lui. Flux tendus, management participatif, culture d'entreprise, il ne comprenait pas grand-chose au jargon à la mode.

Partout rejeté, il se débandait. Un nouveau coup lui fut porté par le départ d'Henriette. Un soir qu'il rentrait chez lui, à pied, pour économiser l'essence, il découvrit le désastre. Il tourna la clé de la porte du pavillon, s'apprêta à suspendre son manteau à la patère, et constata qu'elle avait disparu. Comme le reste. Henriette avait tout déménagé. La place était nette. L'endroit désert. À l'exception de deux compositions florales, les dernières qu'avait lancées le marquis. Les modèles 285T/H et 754/S du catalogue de la Promotex, gamme « Équateur ». De pures merveilles. Le 285T/H regroupait un yucca trois têtes, un aléphandra, un capillaire, un croton et un aralia. Le 754/S, plus sobre, se composait de trois pieds de botula et d'un ficus benjamina en pot fleuriste avec billes d'argile. Aucun entretien. De pures merveilles.

Épinglée dans la tige de polyéthylène du ficus, une lettre l'attendait. Étienne, ne sachant où s'asseoir, lut debout ce chef-d'œuvre d'ignominie.

Étienne, mon ami...

Oui, je pars, oui, je vous abandonne. Ainsi donc, votre vie s'achèvera dans la pauvreté. Vous, qui, durant toute votre existence, avez cherché à vivre petitement, vous voici récompensé de vos efforts... Insensible à mon inquiétude, indifférent à mes conseils, vous continuâtes, besogneux, à fabriquer vos fleurs de pacotille. Vous voilà bien pris. Si, comme je le souhaitais, vous étiez retourné à Vaudricourt aider votre sœur dans ses entreprises généreuses, vous ne connaîtriez pas l'échec. Mais l'art vous laisse froid, ainsi que la philanthropie.

En souvenir des années passées, je vous dois la franchise : je ne vous quitte pas parce que vous n'êtes qu'un raté. J'aime un autre homme. Oh, oui ! Me voici revenue à l'époque de mes premiers émois. Il se nomme Marcel... Souvenez-vous, vous l'avez rencontré durant notre croisière sur le Nil. Il est mécanicien sur les bateaux et possède en son cœur la noblesse que vous prétendez porter sur votre blason. Avec lui je découvrirai le monde et la vie, enfin. Certes, Marcel est très jeune, mais nous n'avons que faire de la différence d'âge. Il est vigoureux, et quand ses mains puissantes pétrissent mon corps alangui par le désir, je réalise combien j'ai gâché mon existence en croupissant à vos côtés !

Marcel a des dettes à la suite d'une mauvaise histoire à laquelle on a voulu le mêler. Il est victime d'une effroyable erreur judiciaire, aussi a-t-il besoin d'argent. Je prends donc tout et fuis au bout du monde dans les bras de mon Marcel ! Adieu.

Henriette.

Abattu, Étienne s'assit par terre et parcourut une nouvelle fois la prose infâme de son épouse. Il eut alors un brusque accès de fureur et s'attaqua au ficus benjamina qu'il tenta de lacérer à l'aide de sa lime à ongles. La toile de polyéthylène était très résistante. Ni l'aralia ni le yucca ni le botula ne voulurent entendre raison. À bout de nerfs, le marquis sortit son briquet et tenta d'enflammer les plantes. Peine perdue, elles avaient été ignifugées, sur sa recommandation expresse. Il ouvrit la fenêtre et les projeta au loin, dans le jardin.

La maison était vide, totalement vide. L'allée de gravier qui menait au perron portait les marques des pneus du camion des déménageurs. Dans le garage, Étienne eut la surprise de trouver sa voiture. Sans doute Henriette, dans la précipitation de sa fuite, l'avait-elle oubliée...

Il fila à sa banque sans plus attendre. Le guichetier lui assena l'état de son compte, sans ménagement. Henriette avait raflé jusqu'au dernier sou. Ils possédaient un compte commun et les économies du marquis de Vaudricourt avaient atterri dans la poche d'un apache dont il ne connaissait que le prénom : Marcel. Impossible de porter plainte.

Étienne, accablé, quitta la banque. Le lendemain, c'était Noël. Dans les rues décorées de guirlandes, les magasins regorgeaient de victuailles. Les passants trottinaient, les bras chargés de paquets. Étienne fouilla ses poches. Il lui restait cent quatre-vingt-deux francs et vingt-cinq centimes. Il entra chez le garagiste.

— Ma voiture est à vendre ! lui annonça-t-il.

Le type fronça les sourcils. Ils palabrèrent quelques minutes. Le garagiste voulut essayer l'engin. Ils firent quelques kilomètres ensemble. À la fin de la virée, l'affaire était conclue. Étienne se retrouva dans la rue avec quarante mille francs en poche. Alors qu'il passait devant le cabinet immobilier auquel il louait son pavillon, un employé frappa à la vitre pour attirer son attention et lui fit signe d'entrer.

— Ah, monsieur de Vaudricourt ! dit-il. Je n'ai pas eu le temps d'en parler à madame ce matin, elle semblait si pressée... Voilà, j'ai un candidat qui souhaite visiter au plus tôt ! Demain, c'est Noël... Si nous disions le 26 ?

Étienne donna son accord. Il n'eut pas besoin de plus amples explications. Par pure vacherie, Henriette avait bazardé la location, certainement sur le conseil de Marcel. De toute façon, le marquis n'avait pas le choix. Que ferait-il, seul, dans cette maison vide ? Il tendit son trousseau de clés à l'employé.

D'un pas lourd, il revint vers ce qui fut son foyer. Il avait oublié de fermer la porte et le vent pénétrait en rafales glacées à l'intérieur de la villa. Étienne reçut le choc ultime en inspectant le placard dans lequel il rangeait ses vêtements. Marcel devait être de sa taille puisque les étagères étaient vides. Les cintres pendaient à la tringle. Plus rien, plus une chemise, plus une paire de chaussettes. Si, une ! Dépareillée... Étienne n'eut pas la force de se mettre en colère. Il gagna la gare du R.E.R., monta dans une rame qui filait vers Paris. Il sortit à la gare de Lyon et pénétra dans un petit hôtel, rue Traversière. Il loua une chambre modeste avec vue sur cour et douche sur le palier.

Il soupa seul et mal, dans une brasserie des environs. À la table voisine, ce soir de réveillon, un quarteron de fêtards éméchés lançaient des serpentins et chantaient des chansons paillardes. Étienne avait envie de boire, lui aussi. Il s'en abstint. Son vieil ulcère pouvait se réveiller...

11

Tandis que le marquis de Vaudricourt se morfondait dans sa chambre, le chanoine Jules s'apprêtait à sortir. Il avait revêtu sa soutane du dimanche et, guilleret, se pomponnait. L'élégance n'est pas un péché. Dans la rue, deux de ses valeureux biffins s'affairaient autour du camion offert par Durieux-des-fast-food. Les lascars chargeaient de gros sacs de patates dans la soute à mangeaille, remplissaient les cuves à huile, hachaient la viande. Resplendissant, le chanoine les rejoignit.

— On y va, les gars ! s'écria-t-il en brandissant sa canne.

Il prit lui-même le volant et roula vers Paris. Sur le toit, les haut-parleurs diffusaient un cantique entraînant et la musique ameutait les badauds. Arrivé à Barbès, Jules coupa le moteur, saisit le micro et invita les fidèles à s'approcher.

— Vous qui avez faim, en vérité, venez nous voir, on a de quoi ! Allez, on fait la queue, on ne se bouscule pas, on ne resquille pas ! Jésus est amûûûr !

L'arrivée de la caravane miracle avait été préparée par une escouade de distributeurs de tracts, aussi les amateurs de repas gratuits attendaient-ils déjà la manne.

— C'est Noël ce soir, les gars ! bramait Jules. Jésus va naître ! Et y a de la bouffe, on est tous frères...

Mais, à l'autre extrémité du carrefour, juste sous le viaduc du métro aérien, une autre camionnette attirait la pauvraille : celle des adeptes de Krishnou, des cinglés qui se baladaient en toge, pieds nus, dédaigneux de la froidure. Ces énergumènes avaient le crâne rasé et, coquetterie, une noisette de beurre rance ornait leur front tatoué d'une effigie de la déesse.

— Krishnou est là ! Krishnou est parmi vous !

Le mégaphone grand modèle des moines de la secte faisait une sévère concurrence à la sono de Jules. Beaucoup de ventres gargouillaient, vides... aussi, dans un premier temps, tout se passa-t-il bien. Sagement, les miséreux attendaient leur tour. Ce fut au second round que les choses se gâtèrent. En effet, certains loqueteux, déjà rassasiés par Krishnou, venaient voir s'il n'y avait pas de rabiot du côté de Jésus, et inversement. Très vite, le ton monta. Ceux qui n'avaient pas encore reçu leur pitance rouspétaient contre les resquilleurs. Chez Jésus, on faisait la queue en mangeant le sandwich-krishnou, tandis que chez Krishnou, on se bousculait en avalant les frites-jésus !

Une telle confusion ne pouvait que virer à l'émeute. Rythmée par le cantique du chanoine et la mélopée de Krishnou, une gigantesque castagne s'amorça : ça chicorait sec sur le boulevard.

— Paix... paix... amûûûûûûûûûûûûûûûûûûûûûr ! s'époumonait Jules.

— Haré ! haré ! haré Krishnou ! rétorquaient les guignols en toge.

— Votre Krishnou, y vaut pas un clou ! hurla Jules, excédé.

— Et ton trapéziste, sur sa croix, tu trouves qu'il a l'air fin ? riposta le chef des Krishnou.

— Alléluia ! Chantons, mes frères ! s'écria Jules. Ne les écoutez pas blasphémer ! Regardez comme ils sont habillés ! On dirait le cirque Pinder !

— Tu t'es pas vu, hé, vieux crabe, avec ta robe à frou-frou ! ricana le leader des secteux.

Sur le bitume rincé par la pluie, l'huile des frites-jésus se mêla à la margarine des sandwichs-krishnou. On glissait. La bagarre augmenta en violence et personne ne savait au juste comment elle avait commencé. Une escouade de C.R.S. arriva au pas de charge et cogna sur tout le monde. Jules, lui-même, reçut un coup de matraque avant qu'on ne le mette à l'abri.

Quelques heures plus tard, seul chez lui, il sanglotait, agenouillé sur son prie-Dieu. Son œil gauche était tuméfié. Le camion de Durieux avait trinqué, mais la carrosserie était solide. Didambert téléphona pour dire qu'il y aurait des poursuites contre Krishnou. Cela ne pouvait suffire à consoler Jules. Au petit matin, il priait toujours. Il vit descendre la lumière du jour sur cette terre où les hommes s'étaient saoulé la gueule pour fêter la venue du Messie.

Jules scruta le ciel et appela le Seigneur. Silence. Le malheureux crut que le Tout-Puissant boudait pour le punir de la bagarre du réveillon. Peut-être ne lui rendrait-il plus jamais visite ?

Mais, alors qu'il désespérait, il entendit La Voix.

— JULES... JULES... JULES... Bougre d'abruti ! Vois ce que tu as fait ! Au lieu de suivre mes conseils et de guider mes brebis sur une ligne classe contre classe, tu as semé la division dans le camp ouvrier !

— Mais, Seigneur, moi et mes biffins, nous ne sommes que de pauvres pâtres...

— Des pâtres, des pâtres ! Mais... tant de zizanie ! ricana le Très-Haut.

Jules, la tête entre les mains, s'attendait à subir la caresse brûlante du rayon divin, en guise de punition.

— Seigneur, Seigneur... Châtiez-moi ! sanglota-t-il.

Rien ne vint.

— Seigneur, ne m'abandonnez pas ! implora-t-il.

Devant le silence persistant, il se précipita à la fenêtre. Dans les cieux, la situation était des plus calmes, après dissipation des brouillards matinaux.

— Seigneur ! s'énerva Jules. M'entendez-vous ? Fox-zoulou-lima-tango, Seigneur, me recevez-vous sur la fréquence ?

Affolé, Jules tendit l'oreille. En vain.

12

Toute la journée de Noël, le marquis de Vaudricourt déambula au hasard des rues, le dos voûté, la mine renfrognée. Il ne rêvait que de rencontrer cette pouffiasse d'Henriette et son mataf, afin de leur administrer une mémorable rossée. Il l'imaginait, le Marcel : le cheveu gras et long, la démarche chaloupée, des tatouages jusque sur la quiquette, ce devait être quelque chose, le gigolo de la marquise.

Shootant rageusement dans les détritus abandonnés sur la chaussée par les fêtards de la veille, Étienne marchait. Et Foulereau ? Il l'avait bien embobiné, celui-là, avec son poste mirifique à la SOCOFIX, ce repaire de Sarrasins... Il fallait lui demander des comptes !

Ce qu'Étienne fit dès le lendemain matin. Il se présenta au cabinet FOULEREAU & FOULEREAU FILS dans son costume fripé. Le col de son unique chemise était sale, quant au pli du pantalon, ce n'était plus qu'un souvenir. Foulereau père reçut ce curieux personnage qui lui tendait une carte de visite. Avec l'affectation d'un chef du protocole présidant une cérémonie, Gustave s'effaça devant Étienne et annonça d'une voix de stentor :

— M. Chabot de Vaudricourt de la Musardière-Huzard !

À l'énoncé du patronyme, Hubert sursauta, embusqué derrière une pile de dossiers.

— Vous m'avez roulé ! gémit le marquis en marchant droit sur lui.

— Moi... ? s'étrangla Hubert.

Il porta la main à son cœur dans un geste théâtral.

Étienne cracha tout son dépit. Il passa cependant sous silence l'épisode Marcel de son histoire.

— Vous vous méprenez, monsieur ! dit Hubert, à l'issue de cette confession. Il n'y a qu'une personne, et une seule, qui soit responsable de vos malheurs : Didambert ! Il m'avait juré que vous seriez muté à la SOCOFIX ! Il m'a trompé, moi aussi ! D'ailleurs, j'allais vous appeler aujourd'hui même... Qu'allez-vous faire, à présent ?

Dire qu'Étienne fut évasif serait un euphémisme. Il pleurnicha quelques secondes sur son incompétence en matière de management participatif et de gestion des flux tendus...

— Qu'à cela ne tienne ! s'écria Hubert. Vous savez, on jase beaucoup à propos de ces nouvelles techniques... En fait, on a toujours besoin de chefs, de leaders ! Vous êtes un homme de valeur, de Vaudricourt ! Jeune, séduisant, battant ! Sachez vous mettre en valeur ! Ce qu'il vous faut, c'est un cabinet de *head hunters* !

— *Head hunters* ? Plaît-il ? articula Étienne, médusé.

— Oui, les chasseurs de têtes ! Ce sont des agences qui se chargent de recruter les cadres de haut niveau, comme vous ! Ils vous établiront un plan de carrière, après avoir dressé le bilan de vos réussites à la PROMOTEX, et vous aiguilleront sur un nouveau poste !

L'enthousiasme de Foulereau mit du baume au cœur du marquis. Hubert lui tendit un bristol indiquant les coordonnées de la fameuse agence... Éperdu de reconnaissance, Étienne le salua. Aussitôt, Foulereau junior composa un numéro. On décrocha.

— Allô ! s'écria Hubert. C'est vous, mon vieux Bousquier ? Comment va ? Dites-moi, je vous adresse une serpillière à essorer... Oh, il ne doit plus rester grand-chose, mais comme vous vous plaisez à le rappeler, il n'y a pas de petits bénéfices... Je lui ai fait le coup à l'américaine, il est regonflé à bloc ! Dans moins d'une heure, il débarque chez vous ! Voilà, voilà, voilà, comme d'habitude, 15 % mon vieux Bousquier. Au revoir...

Sitôt le combiné raccroché, Hubert appela son père.

— Méfiance, poupa ! lui dit-il. La prochaine fois que le marquis vient rôder ici, ne le laisse pas entrer, ce serait pour me tuer !

Gustave sourit d'un air bonhomme et, discrètement, écarta le pan de son veston. Rangé dans son holster, un 357 Magnum pendait à son flanc...

13

En sortant de chez Foulereau, Étienne fila au Prisunic et entama ses maigres réserves d'argent pour se constituer une garde-robe présentable. Ce n'était pas avec sa dégaine qu'il pouvait éblouir les chasseurs de têtes... Il acheta donc quelques paires de chaussettes, des sous-vêtements ainsi qu'un costume. Pour les chaussures, rien ne pressait, une bonne boîte de cirage suffirait à endiguer la misère. Il rentra à son hôtel, se fit beau, et téléphona à Bousquier qui lui donna rendez-vous en début d'après-midi. Lui-même n'était malheureusement pas libre, mais son assistante Bénédicte le recevrait...

Une jeune femme, fort pulpeuse, quoique vêtue d'un tailleur strict, l'invita à pénétrer dans un joli petit salon. La créature croisait et décroisait sans cesse ses longues jambes hâlées afin d'offrir à son interlocuteur un aperçu de son anatomie. Bénédicte lut le curriculum d'Étienne d'un œil amusé, mais non hostile.

— Le premier point que nous aurons à résoudre, cher monsieur de Vaudricourt, susurra-t-elle, c'est de bien cerner votre *fit* !

— Mon *fit* ? Ah ? s'étonna Étienne.

— Oui, si vous préférez, votre profil, son adéquation potentielle avec le poste que vous briguerez...

— Ah oui, bien sûr... répliqua Étienne d'un air entendu.

— Vous avez déjà tenté un peu de mailing, m'a-t-on dit ? reprit-elle.

— Du mailing ? !

— Vous avez envoyé votre candidature à certaines entreprises... Par la poste, si vous préférez !

— Ah, oui ! J'ai écrit de nombreuses lettres ! Un très très gros mailing !

— Hum ! Dans votre situation, je ne vous cache pas qu'il faudra être modeste ! assena la jeune femme. N'escomptez pas trop un poste à *fringe benefits*...

— Pardon ?

— Ce qu'on peut vous proposer ne comportera que peu d'avantages annexes ! expliqua Bénédicte. Pas de logement de fonction, de participation au capital... etc., etc.

La franchise de l'assistante du prestigieux Bousquier rassura le marquis. Il était devenu modeste et l'avouait de bon cœur.

— Vous avez bien fait de vous adresser à nous ! De nos jours, les entreprises répugnent à pratiquer elles-mêmes le *search* ! Elles préfèrent traiter avec des agences spécialisées...

— Heu... le *search*... ! s'étonna Étienne.

— La recherche directe de managers par voie d'annonce...

Le marquis sourit béatement. Entre les mains de gens si compétents, il se sentait en sécurité. La suite du discours lui passa par-dessus la tête. La voix de Bénédicte était chaude et onctueuse. Il eut beaucoup de plaisir à l'écouter.

— Notre agence est très bien cotée sur le marché ! Notre staff est aguerri, nous ne fonctionnons qu'au *retainer*, notre référence *chek* est connue, en d'autres termes, nous ne sommes pas des *body-snatchers* ! Bien ! Que voyez-vous sur ces taches d'encre ?

Elle présenta à Étienne une série de planches très laides. Étienne faillit répondre qu'il distinguait nettement un sexe féminin sur la première, mais se ravisa.

— Je vois un papillon ! s'écria-t-il, rayonnant de joie.

Bénédicte griffonna aussitôt quelques annotations sur son calepin.

— Et sur celle-ci ?

Étienne voyait deux silhouettes de négresses en boubou qui pilaient du mil dans une jatte. Aucun doute. Ce n'était sûrement pas la bonne réponse.

— Heu... un poulpe ! Je vois un poulpe... murmura-t-il après avoir longuement réfléchi.

Étienne avait entendu parler des idées bizarres qui passent dans la tête des psychologues. Ces gens-là mettent le sexe à toutes les sauces, et il faut bien les satisfaire si l'on veut s'attirer leurs bonnes grâces...

— Un poulpe ? répéta la jeune femme, pétrifiée.

— Oui, un poulpe ! confirma Étienne, en regardant de nouveau la planche. Un poulpe femelle, d'ailleurs !

— Bien ! Je ne pense pas qu'il faille aller plus avant ! s'exclama Bénédicte. Vous... vous me semblez posséder la ténacité requise pour postuler aux services offerts par notre agence ! Voilà ce que je vous propose : durant quinze jours, nous vous offrons un bureau, avec une secrétaire, des listings de sociétés, des annonces, et une assistante pour vous épauler dans vos démarches !

— Formidable ! Je... je vous remercie ! s'écria Étienne, ravi.

— La prestation vous reviendra à vingt mille francs net. Tel que je vous vois, combatif et performant, en une semaine, dix jours tout au plus, l'affaire est réglée. Dans ce cas, nous vous rembourserons les jours manquants en effectuant une péréquation du total rapporté au coût moyen de la journée... d'accord ? Si vous souhaitez réfléchir et repousser votre décision à la semaine prochaine, nous restons à votre disposition, mais ne tardez pas, la conjoncture est des plus favorables ! Pour vous, ce sera un formidable challenge !

Vingt mille francs. La somme impressionna le marquis.

— Le plus tôt sera le mieux ! trancha-t-il en sortant son portefeuille.

Bénédicte empocha le chèque et lui remit un contrat.

Les jours suivants, installé dans un bureau de l'agence, Étienne s'éreinta à donner une multitude de coups de téléphone. Bénédicte disait : « Pratiquer le *phoning*. » En vain.

Le *fit* du marquis ne correspondait pas au *search* des sociétés qu'il contactait.

Il était malgré tout rassuré. Le matin, il arrivait « au bureau ». Une secrétaire suspendait son pardessus dans une penderie, lui préparait un café et lui présentait un dossier de presse sur la situation de l'emploi ainsi qu'un condensé des cours de la Bourse. Tout cela avait le goût du boulot, la couleur du boulot, mais ce n'était pas le boulot ! Malgré le *search*, le *phoning*, les *fringe benefits*, le référence *chek*, le *repeat business*, et sans omettre le fameux *retainer*, le marquis de Vaudricourt était bel et bien chômedu.

Mais il n'était plus seul. Un autre gogo occupait le bureau voisin du sien. Lui aussi venait à l'agence Bousquier pour ne plus avoir la fâcheuse impression d'être un vieux citron vidé de son jus.

Étienne et son « collègue » s'adressaient des sourires et, à la pause de midi, déjeunaient ensemble. À table, ils parlaient projet d'entreprise, cercle de qualité, *fit* et *search*, comme des vrais. Le temps d'un repas, ils oubliaient ainsi qu'ils n'étaient plus que des faux, des enveloppes creuses, des automates qui répétaient les mêmes gestes dans le vide. Bientôt le ressort serait totalement détendu, et il n'y aurait plus personne pour tourner la clé.

Affolés par cette perspective, ils s'enivraient d'un jargon doux à leur oreille naïve. La ronde des banalités, *fit*, *search*, *search*, *fit*, lubrifiait un mécanisme dont on entendait déjà craquer les engrenages.

Repus de ce babil, ils reprenaient leur poste. *Phoning* et *rephoning*. Dans les journaux, ils épiaient les annonces, et, quand l'un d'eux croyait avoir décroché le gros lot, il dissimulait à l'autre sa découverte, comme deux sales mômes pendant la compo de calcul... Un formidable challenge, avait dit Bénédicte.

DEUXIÈME PARTIE

1

Le marquis Chabot de Vaudricourt de la Musardière-Huzard descendit de la rame de métro. Quelques miséreux étaient allongés à même le quai, abrutis de fatigue et de mauvais vin. L'un d'eux se leva, tituba péniblement et, d'une voix pâteuse, mendia un franc à Étienne.

— L'argent se gagne ! rétorqua celui-ci. Regardez-vous donc ! De quoi avez-vous l'air ? Écartez-vous, ne m'importunez plus !

Ponctuant sa réplique d'un coup de menton rageur, le marquis s'éloigna d'un pas majestueux et quitta la station. Il neigeait. Étienne était en avance, comme tous les matins. L'agence Bousquier n'ouvrait qu'à 9 h 30. C'était aujourd'hui le dernier jour des deux semaines de *search* qu'il avait pu s'offrir chez les *head hunters*.

La prospection avait abouti au fiasco. Personne ne voulait de l'ex-roi de la fleur artificielle. Étienne raclait ses poches pour régler ses additions à la brasserie où il déjeunait le midi ; le soir, il se contentait d'une baguette de pain qu'il mastiquait longuement, seul dans sa chambre d'hôtel. Le tenancier du bouge réclamait sa quinzaine et, à force de ruses, le marquis était parvenu à en différer le paiement.

Il entra dans un café, s'installa au comptoir, commanda un express. Un journal du matin traînait sur le zinc. La manchette indiquait que deux clochards étaient morts de froid durant la nuit précédente. Étienne avala le petit noir en balayant les titres d'un œil distrait. Il compta minutieusement sa monnaie et paya le loufiat.

L'assistante de Bousquier, toujours aussi affriolante, attendait de nouveaux stagiaires. Ce fut à eux qu'elle réserva ses sourires sucrés ainsi que les plongées panoramiques sur son porte-jarretelles. Les nouveaux venus l'écoutaient en hochant gravement la tête. En catastrophe, on aiguilla le marquis vers un petit bureau tout gris dont le téléphone ne fonctionnait plus...

Une secrétaire ouvrit la porte du réduit et, d'une main négligente, jeta sur la table un paquet d'annonces découpées dans *Le Parisien*. Étienne essuya une larme. Il resta là, une heure durant, à fixer le mur, les néons constellés de chiures de mouches.

Puis, sans faire de bruit, il se sauva. Il ne voulait en aucun cas affronter le regard moqueur de l'égérie du *search* et des *fringe benefits*...

Au-dehors, il faisait froid. Il marcha. Longtemps. À 11 heures, il pénétra dans une brasserie et commanda un marc. Puis un autre. Au diable l'ulcère et l'avarice. Et encore un autre et rebelote, garçon, remettez-moi ça ! Il quitta le rade, le cheveu en bataille, et marcha encore. Nouvelle brasserie. À midi, il était fin saoul.

— Ah, ça ira, ça ira... fredonnait-il en zigzaguant sur le trottoir.

Il picola toute la journée et mangea à s'en faire péter la sous-ventrière. Le soir venu, il rampait presque en regagnant son hôtel. Il fut horriblement malade et vomit tour à tour la choucroute de midi, la piperade de 14 heures, le cassoulet de 16 heures... La tête dans la cuvette des W.-C., il tirait la chasse d'une main malhabile et regardait l'eau tourbillonner.

Après plus d'une demi-heure de dégueulade ininterrompue, les spasmes stomacaux décrurent en intensité. Une dernière fois, il déclencha le jet et plongea sa tête plus avant dans la cuvette. La douche glacée lui fit le plus grand bien. Il regagna sa chambre et observa son visage dans le miroir piqué de rouille, cloué au-dessus du lavabo. Il eut pitié de lui-même et, devant une telle déchéance, se mit à hurler.

— Je suis le marquis de Vaudricou-ou-ou-ourt de la Musardière-Huza-a-a-a-ard !

Au bout d'un quart d'heure de cette litanie, la porte de la chambre s'ouvrit avec fracas. Le patron de l'hôtel, un gros moustachu en mimile taché de gras, empoigna Étienne par le col de la chemise et le fond du pantalon et le propulsa dans l'escalier. Il le gratifia de quelques coups de pied supplémentaires, l'expulsant sur le trottoir. L'attaché-case suivit, puis la veste, puis le pardessus. En vrac, la garde-robe du marquis joncha le bitume recouvert de neige. L'hôtelier indélicat fouilla dans les poches du marquis, ouvrit son portefeuille, en extirpa une liasse de billets froissés et se servit copieusement : deux semaines à deux cents francs la nuit, plus un supplément pour la petite sérénade...

Allongé à même le sol, Étienne le regardait faire, indifférent. Le patron de l'hôtel lui bourra les côtes de coups de pied et le pria en termes fleuris d'aller encombrer le trottoir à distance respectable de l'entrée de son établissement.

Étienne obéit, et s'allongea sur un banc du boulevard Diderot. Il s'endormit. Quelques heures plus tard, il s'éveilla avec un mal de crâne colossal. Il était transi, grelottait, ne se souvenait plus de rien. Enlaçant son attaché-case, il se traîna vers une bouche de chaleur. L'air tiède qui s'en échappait soulevait des volutes vaporeuses. Recroquevillé en chien de fusil sur la grille, le dernier descendant de la lignée des Vaudricourt se réfugia dans les bras de Morphée...

2

Tandis que le pauvre Étienne apprenait le dur métier de la débine, le Rassemblement tenait un meeting, à Meaux. La foule se pressait sous un énorme chapiteau bleu, blanc, rouge. Des stands proposaient des boissons chaudes, le maniféste du Rassemblement ainsi que des posters dédicacés de Dartaud, le secrétaire. Celui-ci officiait à la tribune et, de sa voix onctueuse, caressait l'assistance dans le sens du poil.

— Hou hou hou... hululait-il. Entendez-vous dans nos campagnes mugir les féroces partageux qui veulent rétablir l'impôt sur la fortune ?

La prestation était si convaincante que certains supporters âgés prirent peur. Le secrétaire, très pro, saisit au vol le frémissement qui agitait l'assemblée.

— Hou hou hou ! poursuivit-il. Voici venir l'apocalypse ! Rejoignez le Rassemblement, avant qu'il ne soit trop tard !

Deux vieilles dames s'évanouirent. Les secouristes durent les évacuer à grand renfort de panique. Une autre, affolée, fit une crise hystérique en serrant très fort son sac à main. Dartaud continua sur sa lancée en appelant le bon peuple à soutenir le Rassemblement dans sa croisade contre les partageux.

Puis il quitta la tribune. Une formidable ovation le salua. Grantier, qui présidait la séance, calma les passions.

— Nous allons maintenant entendre le chanoine Jules ! annonça-t-il.

Celui-ci bondit de son fauteuil, retroussa sa soutane et gravit d'une foulée élégante les marches qui menaient au podium.

— Jésus, Jésus ! Alléluia ! En vérité, je vous le dis, Dartaud est le meilleur ! s'écria-t-il. Il me soutient dans mon action pour les pauvres ! Et maintenant, un petit coup de théologie ! Car, voyez-vous, c'est pas de la rigolade, l'Éternel est pauvre, Lui aussi, Il est, si l'on peut dire, nécessiteux, dans le besoin de se dire, d'être entendu diffusif de Soi et il Lui faut par qui être entendu et aimé ! N'est-ce point parce qu'Il est l'Éternel qu'Il cesse d'être vu inabordable, hein ?

— Qu'est-ce que c'est que ce charabia ? marmonna Dartaud, inquiet, en se penchant vers Grantier.

— Rassurez-vous, il n'en a pas pour longtemps, regardez la foule : ils l'admirent. Peu importe s'ils ne comprennent rien... Souriez, souriez, les photographes sont là !

— Oui mes frères, continua Jules. Il faut donner des sous pour les miséreux ! Allez dans la paix du Christ et tout et tout ! Et *ite missa est* !

Le meeting prit fin sur ces paroles de circonstance. Jules, qui devisait avec Dartaud, fut filmé par les cameramen de toutes les chaînes réunies.

— Dites-moi, mon père, demanda Grantier, nous avons acquis un deuxième camion pour vos pauvres ! Êtes-vous toujours d'accord avec notre proposition ?

— Du moment que c'est pour les pauvres, Jules est là !

— Voyez, messieurs, dit Grantier à l'intention des journalistes, le chanoine figure désormais en tête des personnalités qui parrainent le comité de soutien du secrétaire !

Ce fut la ruée. Mais déjà, Jules avait disparu : une limousine le reconduisit jusqu'à Nanterre.

Il se coucha fort tard. L'éclat des sunlights, la chaleur animale de la foule, ses cris l'avaient épuisé. Au milieu de la nuit, il fut pris de fièvre et de tremblements. Il se traîna jusqu'à son prie-Dieu, s'y agenouilla.

— Seigneur, Seigneur... balbutia-t-il, ne m'abandonnez pas ! Jésus, qui *tollis peccata mundi*, m'entendez-vous ? Je sais bien, vous allez encore me réprimander, mais comprenez-moi ! Ils m'ont offert un deuxième camion à frites ! Ça en fait, des portions, tout ça, pour mes pauvres...

Une voix gouailleuse le glaça en l'interpellant d'un ton peu... amène.

— Alors, Jules, je t'y prends ! Tu t'adresses encore au Patron, malgré tous les bobards qu'il te raconte ?

Jules se retourna. Là, assis dans l'unique fauteuil que possédait le chanoine, pâle et famélique, flottant dans sa robe de bure, saint François lui-même venait de frapper du poing sur la table ! La violence du geste déséquilibra un instant l'auréole qui oscillait au-dessus de sa tonsure et brillait de tout son éclat. Un instant déstabilisé, le disque luminescent se remit en place, dès que saint François eut recouvré son calme.

— Ah, frère François ! murmura Jules, d'une voix énamourée, tant de fois je vous ai appelé à mon secours, mais vous m'avez laissé choir, telle une vieille sandale de pèlerin !

— Du calme, Julot ! rétorqua le saint. On n'a pas de temps à perdre ! La situation est grave ! Dis-moi, nigaud, tu as eu des conversations avec le Patron ? Ne mens pas !

— Oui, je ne comprends plus rien... avoua Jules. Il me tient d'étranges discours...

— Ah, Julot ! si tu savais le cirque qui règne là-haut ! soupira François. Le Boss passe toutes ses saintes journées avec Karl, un sale Boche qui l'embobine...

— Je sais... je sais... dit Jules.

Il était resté agenouillé et la paille du prie-Dieu lui meurtrissait les rotules. Il se leva, farfouilla dans sa paperasse et montra le cahier d'exercices que le Tout-Puissant lui avait donné à étudier. Saint François le parcourut.

— Ah, Julot... reprit-il, navré. C'est plus la Sainte-Trinité, c'est le bureau politique ! Mais rassure-toi, je vais remettre de l'ordre dans cette pagaille ! J'en ai vu d'autres, crois-moi ! Il ne faut pas se laisser impressionner par des peccadilles !

— Des peccadilles ! s'étrangla Jules. Le Seigneur converti à des doctrines impies, vous appelez ça des peccadilles ! Ah, vous me troublez, frère François !

Le saint haussa les épaules et arpenta la chambre de long en large. Son immatérialité lui permettait de passer au travers des meubles et des cartons qui encombraient la pièce. Il était furieux. Son auréole brinquebalait de droite à gauche. Un instant, elle l'aveugla. Il la remit en place d'une chiquenaude négligente.

— Ah ouiche... grogna-t-il. J'en ai vu d'autres ! Tu peux me croire ! À l'époque de mon existence corporelle, c'était le grand-guignol, du côté sacerdotal ! Les églises servaient de lieu de débauche, on partouzait dans les cloîtres, le peuple se tournait vers les hérétiques, les cathares nous cassaient les burnes... et pendant ce temps, ce gros nigaud d'Innocent III se prélassait au Latran à bouffer des loukoums ! Tiens, tu peux m'en croire, Julot, c'était pire que chez Saladin ! Tout ça pour dire que ton Karl et son pote Friedrich, ils m'amuseraient plutôt !

Saint François mima une rencontre de boxe avec Karl. Il sautillait sur place, se mettait en garde, décochait des directs du gauche, travaillait son jeu de jambes.

— Attention, frère François, fit Jules, en 1200 la chrétienté n'allait pas bien fort ! Mais aujourd'hui, c'est pire : la direction générale elle-même s'acoquine avec Satan !

— Oui, mon p'tit Julot ! admit saint François. Mais je suis là, moi, et je veille au grain, tu peux me croire !

Il attira Jules tout contre lui et chuchota à son oreille :

— Motus et bouche cousue, Julot ! J'ai déjà réuni un groupe de saints et pas des moindres, hein, des martyrs patentés ! On ne va pas tarder à mettre les pieds dans le plat ! Seulement voilà... il nous faut un support séculier ! Toi, en l'occurrence ! C'est qu'on a besoin de renfort, et d'urgence !

— Je suis avec vous, frère François ! proclama Jules, la main sur le cœur.

— Merci, je savais que je pouvais compter sur toi !

Ils palabrèrent à voix basse, après avoir vérifié que les rideaux étaient bien tirés. Jules écoutait son chef avec toute la déférence requise.

— Heu... c'est d'accord ! dit-il, après que saint François eut exposé son plan. Mais... si... enfin... s'Il revient me tourmenter avec ses lubies ?

— La belle affaire ! coupa frère François en décochant un coup de coude dans les côtes de son disciple. Fais semblant, donne le change ! Un jeu d'enfant, Julot !

Il grimaça un clin d'œil complice. Jules acquiesça. La silhouette du saint se noya dans le flou et disparut. Il ne restait plus qu'un petit point lumineux à la place de l'auréole, qui s'éteignit à son tour...

Dans le modeste logis du chanoine, tout était redevenu normal. Jules était tout guilleret. Il se servit un coup de pinard et esquissa un petit pas de danse en chantant l'hymne des capucins, le sous-ordre franciscain auquel il avait jadis fait vœu d'allégeance :

> *Tiens, voilà du levain !*
> *Voilà du levain !*
> *Pour une hostie au goût divin !*
> *Saint Benoît, y en a plus (bis)*
> *Saint Marc nous a déçus !*
> *Saint Benoît, y en a plus ! (bis)*
> *Saint Jean nous a déplu !*
> *Nous sommes des gaillards,*
> *Nous sommes des lascars.*
> *Des moines pas ordinaires...*

Réveillés par les braillements du chanoine, les voisins ne tardèrent pas à frapper du poing contre la cloison. Apaisé, Jules se recoucha. Son sommeil fut peuplé de rêves délicieux où tous les pauvres étaient devenus une grosse chouette bande de vrais copains.

3

Étienne s'éveilla. Ses vêtements étaient trempés. L'air tiède qui montait de la bouche de chaleur le maintenait dans un cocon humide. Il eut l'impression d'être un bébé enveloppé de langes.

Il ne bougeait pas, lové en position fœtale sur la grille métallique. Autour de lui, la rue s'animait. De la station de métro toute proche, des voyageurs sortaient déjà. Un vieux monsieur lui tendit une pièce de un franc. Le marquis ne la prit pas. Dépité, le généreux donateur s'éloigna en bougonnant. Puis vinrent trois jeunes skins, accoutrés de Bombers et de Doc marten's. Ils empestaient la bière. L'un d'eux tétait une canette mousseuse remplie pour moitié de salive. Étienne les vit approcher, démons hideux, tout droit délégués de l'Enfer. Couché sur la grille à ras du sol, il leva les yeux vers ces créatures qui lui parurent immenses. Tout là-haut, leurs sales gueules grimaçaient méchamment.

— Il est foncedé, le kem ! éructa l'un des zombies.

— Tire-z-y sa liseva ! proposa l'amateur de Kronenbourg en déversant sa canette sur le visage du marquis.

— Y va pécho tes crobmi ! s'esclaffa son acolyte, après avoir pété.

Étienne se crispa sous le coulis de bière rance qui lui dégoulinait sur les joues.

— Une vraie velar ! s'exclama le troisième singe.

— Tema ! Il a froid, faut le réchauffer !

Ce disant, le gai luron déboutonna sa braguette et délogea un sexe mou, vermiculaire, des profondeurs de son jean. Étienne ouvrit un œil et aperçut cet insecte blanchâtre, bouffi, glabre, dont l'orifice suintait de glaires baveuses. Un filet d'urine jaillit du méat que la froidure teintait de rose.

— Pitié... pitié... supplia le marquis.

L'homme à la Kro arracha l'attaché-case des mains de M. de Vaudricourt.

Étienne sanglota longuement avant de se lever. L'odeur de pisse qui l'imprégnait désormais lui signifia son entrée dans la confrérie des paumés.

Il n'existe pas de misère digne, de pauvreté hautaine, quoi qu'en disent les imbéciles qui ne s'y sont jamais frottés. Mais, à force d'habitude, on s'accoutume. On se défend avec les armes du bord, qu'aiguise la nécessité. Cynisme, bassesse, bestialité... tout est affaire d'apprentissage et il vaut mieux commencer tôt.

Étienne Chabot de Vaudricourt de la Musardière-Huzard était démuni face à la déveine. Innocent, il n'avait pas eu le loisir de pratiquer la méchanceté. Niais, il ne pouvait se draper dans la rancune gueularde. La vie l'avait plongé dans l'avanie la plus cruelle sans lui enseigner les ficelles du métier de la guigne !

Il se traîna toute la journée, de station de métro en bistrot. Il dépensa les trente-deux francs qu'il lui restait, oubliés dans la doublure décousue de son pardessus. À la nuit tombée, il errait près du carrefour Belleville. Il n'avait pas faim, pas soif, pas rien. Il fouilla dans un tas de cartons oubliés à la devanture du Prisunic, imitant les autres clodos qui choisissaient des emballages moelleux pour s'en confectionner un lit de fortune. Tassés contre les grilles du métro, le marquis et ses compagnons s'endormirent, ignorants du drame qui se jouait à quelques pas de leur refuge...

4

La face jaune du tenancier du *Dragon foudroyant*, secouée de tics, grimaçait sous le regard fort las du commissaire Ferdinand Glapier. Le petit homme ne cessait de gesticuler et d'ameuter les passants pour les prendre à témoin. Comme si de rien n'était, ses employés continuaient, imperturbables, d'enrouler avec amour des feuilles de lotus autour de boules de riz gluant. La porte du restaurant laissait échapper des remugles de nuoc-mâm et mille autres senteurs enchanteresses.

— Nong ! Pas possible ! glapissait le patron de la gargote. Ici, bong restaurang congvenable ! Pas brigang ! Y en a pas moyeng scangdale ! Vite partir !

— Holà, l'ami ! l'apostropha Glapier. Cessez de vous trémousser de la sorte ! Mes hommes font leur travail ! Une tâche humble, *but*, délicate, et qui requiert une certaine tranquillité !

Effectivement, sur le trottoir, juste devant la vitrine du *Dragon foudroyant*, tout un aréopage de flics en gabardine s'activait en silence. Les photographes de l'Identité judiciaire mitraillaient le cadavre étalé à même le bitume, près des poubelles du restaurant.

— Pas correct ! insista le Céleste. Pas scangdale police ! Sinon, cliengtèle partir, fissa-fissa !

— Vous dites ? s'étonna Glapier, intrigué par l'irruption du vocable maghrébin dans la bouche de l'Asiatique.

Le commissaire regarda autour de lui. Alentour, couscous et restaurants chinois se disputaient le chaland. Glapier, l'espace d'un instant, rêva d'un nouvel espéranto qui naîtrait là, dans la rue, fécondé par les rencontres des ressortissants des diverses communautés. La voix de son adjoint, l'inspecteur principal Vimont, le ramena aux dures réalités.

— C'est du crapoteux, boss ! annonça Vimont. La mort remonte à deux heures environ... La victime est un clodo qui vadrouille dans le quartier. Il dort fréquemment près des poubelles du *Dragon foudroyant*... Un de ses copains l'a secoué et a remarqué qu'il était refroidi !

— *But !* glapit Glapier. Le meurtre n'a pas été perpétré ici, je présume... J'entends bien qu'on surine le quidam dans les venelles obscures, mais, à deux pas du métro Belleville, sous les yeux des habitués de cette cantine, *but*, consentez à ce que je m'interroge, mon petit Vimont ?

— Exact, boss ! admit l'inspecteur. Le type a été égorgé dans une ruelle voisine et s'est traîné jusqu'ici ! On aperçoit les traces de sang sur la chaussée...

— *But !* Voilà qui me rassure ! reprit le commissaire. Un tel forfait, au vu de la foule...

— On a fini, on peut embarquer le corps ? l'interrompit Vimont.

— Procédez, je vous en prie... concéda Glapier.

Les argousins s'activèrent.

— *But !* Vous ! reprit le commissaire en s'adressant au patron du restaurant, je souhaite vous entendre demain dès potron-minet à propos des us et coutumes de la victime, puisque, selon la rumeur publique, elle était, en quelque sorte, locataire de vos poubelles, *but*, semble-t-il ?

Le malheureux restaurateur, déjà bien en peine d'entendre le français courant, ne comprenait rien au sabir de Glapier et se trouvait fort décontenancé par les beute, beute qui jalonnaient le discours du policier. Il ignorait que la conjonction britannique émaillait les tirades du commissaire, telle une amulette oratoire, un grigri phonétique, un fétiche vocal...

— *But !* lança Glapier avant de grimper dans le fourgon de la P.S. à l'intérieur duquel on avait chargé le cadavre.

Tard dans la nuit, alors qu'Étienne rêvait de châteaux forts, de jolies demoiselles qu'il allait, juché sur son destrier, délivrer des mains de mécréants, Glapier, près du métro porte de la Villette, constatait la mort d'un second clochard, trucidé dans les mêmes conditions que celui de Belleville.

— *But !* marmonna-t-il, allons-nous avoir à confondre quelque maniaque ayant entrepris de délivrer la ville de la plèbe qui croupit dans ses faubourgs ?

5

Étienne patientait. Le grand hall de la mairie du XIXe était abondamment chauffé et une ribambelle de pauvres avait pris prétexte de l'ouverture du bureau d'aide sociale pour fuir le froid de la rue. Étienne triturait le carton numéroté qu'on lui avait remis au guichet. On appela le 313. Il tarda à réagir. Une brave fonctionnaire à la poitrine opulente le fit s'asseoir près d'elle. Il lui tendit sa carte d'identité, et l'employée tiqua en déchiffrant le nom à rallonge.

— Vous êtes chômeur ? s'étonna-t-elle.

Étienne narra son expulsion de la PROMOTEX.

— Vous n'avez donc pas été licencié, vous êtes parti de votre plein gré... nota perfidement la préposée.

Étienne admit la légèreté de sa conduite.

— Hum, en ce qui concerne le R.M.I., poursuivit son interlocutrice, je crains fort que vous n'y puissiez postuler. Nous n'accordons cette faveur qu'aux authentiques miséreux. Si, comme vous me l'avez dit, votre sœur Berthe possède quelques biens, elle sera à même de vous accueillir...

Étienne secoua la tête, désespéré. Ah ! il l'imaginait déjà, cette folle, si d'aventure il débarquait à Vaudricourt, vêtu de ses haillons. Elle l'assourdirait de ses sarcasmes, le ferait trimer dans la porcherie... Quant aux villageois, jamais il ne pourrait se résigner à supporter leur mépris ! Eux, les descendants des serfs qui jadis maniaient la houe sur les terres du domaine !

— Ah, c'est que votre cas s'avère complexe... soupira l'employée. Voyez-vous, ici, nous secourons les chômeurs, mais les marquis...

Une rouge ! songea Étienne. Je suis tombé sur une harpie bolchevique ! Il n'osa répliquer.

— Tout ce que je peux faire, reprit-elle, c'est de vous allouer des bons de nourriture. Vous irez dans un des magasins dont voici la liste et on vous remettra un sandwich et une boisson chaude. Je vais aussi vous indiquer l'adresse d'un refuge, pour la nuit.

Elle fouilla dans un classeur et remit à Étienne un formulaire contenant quelques adresses au nom évocateur. « Le Doux Logis », « Bien au chaud », « La crèche du bon cœur ». Il empocha le tout et quitta la mairie. Sur le trottoir, un commando de l'Armée du Salut chantait un cantique en agitant des clochettes. Étienne se réchauffa les mains quelques instants au brasero, avant de céder sa place auprès du feu à d'autres clochards.

Il passa le restant de la journée à traîner dans les rues et aboutit dans la salle d'attente de la gare de l'Est. À 22 heures, les employés de la S.N.C.F. expulsèrent la cohorte de pouilleux qui encombrait les locaux réservés aux voyageurs. Étienne, épuisé, se traîna jusqu'au « Doux Logis », rue du Faubourg-Saint-Denis, une crapaudière infecte où ronflaient quelques dizaines d'assistés. Quand il s'éveilla le lendemain matin, il s'aperçut avec stupeur qu'on lui avait fauché son pardessus.

6

Le commissaire Ferdinand Glapier était d'humeur massacrante. Durant les deux jours qui venaient de s'écouler, on avait dénombré, aux quatre coins de la région parisienne, pas moins de huit cadavres de clodos liquidés dans les mêmes conditions que les deux premiers ! Le rituel de l'égorgement suggérait que l'on avait affaire à un tueur unique. Le bureau du quai des Orfèvres résonnait de beute, beute comme jamais encore.

— Phénoménal, s'écria Glapier à l'intention de Vimont. Le sagouin occit ces rebuts d'humanité après avoir étudié le terrain, sélectionné sa cible, tel Jack the Ripper ! *But !* La qualité des victimes, des citoyens en marge, interdit que l'enquête prenne un tour prestigieux !

— Sûr, boss ! admit Vimont. Les clodos, tout le monde s'en tape ! Ah, si vous aviez à traquer un nouveau Landru, égorgeant des rentières, on aurait déjà nos photos dans les journaux... ou des putes, à la rigueur : le côté salace excite la curiosité...

— *But !* Vous parlez d'or, Vimont ! Le dédain des gazettes m'insupporte ! *But !* Portons le geste de l'égorgeur sur la place publique !

Il téléphona aussitôt aux journaux et parvint à rameuter quelques plumitifs de la presse à scandales.

— *But !* Messieurs, sans votre concours, jamais nous n'arriverons ! Devenez les hérauts de notre traque ! leur dit-il.

Il distribua quelques clichés parmi les plus crados collectés sur les lieux des meurtres. C'était répugnant. Les photographes n'avaient reculé devant aucun détail scabreux. Impressionnés, les journalistes hochèrent la tête.

— Si on déballe l'affaire, dit l'un d'eux, le populo va applaudir... On massacre les clodos ? Très bien ! La ville va enfin redevenir propre !

— Ouais, renchérit un autre, il nous faudrait une bonne tuerie collective. Des loques, il en crève tous les jours. Surtout avec le froid qu'il fait. C'est pas médiatique.

Il eut de la chance. Ce soir-là, le tueur se surpassa. Place des Abbesses, il en rectifia six dans la nuit. Ils dormaient tous sur les bouches de chaleur de la station et on trouva les cadavres alignés en rang d'oignons, la gorge béante...

7

Étienne avait, si l'on peut dire, élu domicile au carrefour Belleville. Là, sur le parvis du grand immeuble qui abrite le siège de la C.F.D.T., chaque matin, un marché sordide déployait ses étals, rassemblant une foule de « commerçants » de la misère. On vendait des bouts de ficelle, de vieux vêtements mités, des cartons, des clous...

Mû par l'instinct grégaire, le marquis suivait ses semblables, et glandait sous les arcades de l'édifice. Contre une pièce de cinq francs, il servait de guetteur aux joueurs de bonneteau qui se livraient à leur passion en redoutant l'arrivée d'une patrouille de police.

La barbe avait envahi ses joues, ses ongles étaient noirs,

ses dessous dégageaient un fumet répugnant. Il était méconnaissable. Du fond de sa déchéance, il tirait malgré tout quelques petits plaisirs corporels. Toute sa vie durant, il avait vécu dans la raideur, la phobie de la crasse, la peur des boutons, la crainte des mauvaises odeurs... À présent que le vernis de bienséance avait fondu, Étienne jouissait de sa saleté, jubilait à se gratter, étudiait avec émerveillement le contour de ses déjections nasales, qu'il aimait sculpter.

Ces joies simples et gratuites ne pouvaient suffire à le consoler de son malheur. La faim lui tordait l'estomac. Il n'avait su économiser les bons de casse-croûte de la mairie et se résignait donc à quémander une piécette au premier venu. De temps à autre, il parvenait à décharger un camion pour le compte des commerçants voisins. Avec le billet ainsi gagné, il courait s'offrir un hamburger dans un magasin de la chaîne Durieux...

Un soir qu'il rêvassait sous les arcades du siège du syndicat, il entendit la musique du *Veni Creator*. Il ferma les yeux et crut que la mort venait l'emporter. Une forte odeur de margarine le fit saliver. La caravane du chanoine Jules débouchait sur le boulevard de la Villette.

Le marquis s'ébroua et courut vers le camion en tendant les mains pour qu'on lui donne une portion de frites.

8

— On en est à dix-neuf, boss... soupira l'inspecteur Vimont.

Il tapait du pied, pour lutter contre le froid. Tassé dans une encoignure de porte cochère de la rue de Ménilmontant, un autre cadavre de vagabond gisait, couvert de sang. Comme tous les autres depuis le début du massacre. Le commissaire Glapier serrait rageusement les poings.

— *But ! But ! But !* éructa-t-il. Nous sommes le 22 janvier et l'affaire prend des allures de Saint-Valentin larvée...

— On peut embarquer le corps ? demanda Vimont.

— Procédez, je vous prie...

Dix-neuf ! Le nombre affolait le commissaire, qui ne détenait pas le moindre indice. La tuerie de la place des Abbesses avait mobilisé la presse, mais une délicieuse guerre exotique, plus performante à l'audimat, détournait l'attention des journalistes de faits divers aussi anodins que celui auquel s'affrontait Glapier.

— C'est comme si on faisait les chiens écrasés... se lamenta Vimont.

— La métaphore est osée, *but*, pertinente, admit le commissaire.

Ils virent le fourgon s'éloigner et s'en furent souper dans un petit restaurant voisin. Au fromage, Glapier se pencha vers son adjoint et lui étreignit le bras.

— Que me suggérez-vous, mon petit ? Je n'attends certes pas que de vos conseils jaillisse la lumière, entendez-le bien, *but*, sinon vous eussiez depuis belle lurette été nommé commissaire... *But !* je ne dédaignerai pas les conseils d'un subalterne auquel j'offre ce soir ma virile affection...

— On n'a aucun moyen de le coincer ! répondit Vimont, ému par la détresse de son supérieur hiérarchique. On arrive toujours après la bataille ! Un coup à Belleville, un coup à Barbès, une autre fois les puces de Saint-Ouen, aujourd'hui Ménilmontant, bref, là où le pauvre grouille, notre assassin sévit ! Un lien éventuel entre les victimes ? Ballepeau ! Le sadique les choisit au pif !

— *But ?* Vous désespérez ?

— Non, boss ! On dispose d'une quinzaine de gus...

— L'obscurité demeure quant à vos intentions, *but*, j'entr'aperçois une imminente éclaircie !

— Quinze, plus nous deux, ça fait dix-sept ! ajouta Vimont.

— La rigueur de votre postulat mathématique m'en impose, Vimont ! *But !* Ensuite ?

— Ensuite ? On se déguise en clodos, et on rôde la nuit sur tous les points chauds...

— Déontologiquement parlant, Vimont, votre proposition est répugnante, *but*, j'admets qu'elle puisse aboutir ! Sous vos dehors innocents, dissimuleriez-vous une âme de stratège ? Seriez-vous l'Alexandre du quai des Orfèvres ? Le Bonaparte de la Tour pointue ? Voire le Clausewitz de la préfecture ?

— Du calme, boss... On peut très bien se geler à traîner dans les rues sans avancer d'un poil ! Mais je ne vois pas d'autre solution ! Zoner dans le métro, croupir dans les recoins miteux, faire ami-ami avec quelques traîne-savates... certains doivent bien pouvoir nous fournir un indice ? À dix-sept, c'est pas couru d'avance, mais si on attend, il n'y aura bientôt plus un Rmiste dans les rues !

— Vous parlez d'or, Vimont ! conclut Glapier. Et alors, l'ordre social se trouverait menacé ! Effarante perspective ! Le pauvre est nécessaire ! C'est, en effet, le spectacle de la misère qui incite le non-pauvre à trimer pour gagner sa pitance... *But !* Vimont, vous m'effrayez !

Ce soir-là, le commissaire farfouilla dans les malles qui encombraient son grenier. Il mit la main sur les vieux collants qu'il portait durant son année de service dans les chasseurs alpins... Il trouva également une culotte de zouave, un béret basque, une musette de pêcheur, des godillots cloutés, une paire de mitaines ainsi qu'une couverture kaki qu'il transforma aussitôt en poncho après lui avoir adjoint une ficelle en guise de ceinture !

Sa femme faillit s'évanouir quand elle le découvrit, ainsi accoutré, s'exercer devant un miroir. Il révisait les savantes figures qu'il avait apprises, alors que, jeune gardien de la paix, il étudiait l'art de la savate.

9

Le souper était un moment sacré chez les Foulereau. Gustave soignait son fils, lui mitonnait des merveilles. Ce soir-là, il avait préparé une daube dont l'arôme envahissait tout l'appartement.

— À table, fifils ! chantonna-t-il, en déposant le faitout sur le repose-plat.

Il alluma la télé et servit généreusement la boustifaille. Foulereau junior pénétra dans la salle à manger.

— Les patins, fifils, gronda Gustave, j'ai ciré le parquet !

Hubert chaussa ses charentaises.

— Alors, fifils, bien travaillé, aujourd'hui ?

— Maigre tableau, poupa ! À peine quinze têtes... maugréa Hubert.

— Ah, il y a de bons jours et il y a de mauvais jours... Moutarde ?

Le présentateur du journal annonça la prochaine tournée de meetings du secrétaire du Rassemblement. De plus, Dartaud tiendrait d'ici à une semaine une grande convention antipartageux dont l'une des vedettes serait le chanoine Jules en personne ! On le vit remettre à Jules les clés de quelques baraquements que le chanoine se proposait d'équiper de poêles Gaudin afin de les transformer en centres d'accueil pour les miséreux.

Suivit une brève, concernant le mystérieux tueur qui assassinait lesdits miséreux et narguait la police.

— C'est guère propre, tout ça... marmonna Gustave. Tu reprendras bien un petit morceau ?

— Volontiers poupa ! Mais, vois-tu, tous ces clochards, ces parasites, ces Rmistes, qui les nourrit d'aumônes ? Toi, poupa, moi, enfin tous les honnêtes gens... Oh, certes, le sadique est fou !... Mais finalement...

— J'ai toujours dit que tu devrais te lancer dans la politique ! approuva Gustave après un moment de réflexion.

À la fin du repas, il s'assoupit un peu, tandis qu'Hubert lisait la page boursière de son journal.

— Tiens, remarqua-t-il, le cours de l'action Roblot est remonté à 240 !

Gustave sursauta. Il se leva, s'étira, enfila sa canadienne, coiffa son béret et, comme tous les soirs, sortit faire un petit tour du pâté de maisons. Les Foulereau logeaient près de la Nation et Gustave avait l'habitude de remonter l'avenue Philippe-Auguste en fumant une pipe. Il passait devant son ancienne boutique, avant de revenir sagement sur ses pas.

— Prends ton écharpe ! dit Hubert en bâillant. Il fait frisquet !

— Ne t'inquiète pas, fifils, j'ai mis ma laine...

Alphonse Crémieux était au chômage depuis plus de trois ans et squattait un immeuble à demi effondré, rue de la Roquette. À 22 heures ce soir-là, il poussait sa carriole emplie des pitoyables trésors amassés durant la journée : une vieille paire de bottes dépareillées, un parapluie hors d'usage, quelques oranges glanées sur le marché après le départ des camelots, ainsi qu'un jeu d'échecs en buis véritable, auquel manquaient les cavaliers, un fou, une tour et le couple royal blanc.

Il neigeait sur Paris ; la bise était glaciale. Alphonse Crémieux tentait de se protéger du froid emmitouflé dans un macfarlane élimé et traînait la patte en remontant l'avenue déserte, face au Père-Lachaise.

Soudain, il vit la silhouette, si familière à ses yeux, qui surgit de derrière un platane. Quand il aperçut la lame, il était déjà trop tard. Une poigne puissante lui saisit la nuque.

— Fifils ! Fifils ! Réveille-toi !

Hubert cligna des yeux, au chaud sous sa couette. Près de lui, son père tremblait, le béret et les épaules couverts de cristaux blancs.

— Poupa, que se passe-t-il ? Ton cœur ? s'inquiéta-t-il.

66

— Je t'en fous ! rétorqua Gustave. Donne-moi vite un coup de rhum.

Hubert se leva, fila jusqu'à la cuisine et revint, un verre de Négrita à la main.

— L'a... l'assassin ! bégaya Gustave après avoir sifflé l'alcool. Le tueur de clochards ! Je l'ai vu ! Il vient d'en tuer un devant le cimetière, y a pas dix minutes !

— Ah ? Il t'a menacé ?

— Non ! Je ne suis pas un vagabond !

— Ah oui...

— Je... je sais qui c'est ! ajouta Gustave.

— Oui, forcément, puisque tu l'as vu ! nota son fils.

— Non, je sais qui Il est ! Je le connais !

Il se pencha sur son rejeton et chuchota à son oreille.

— Non ! s'écria Hubert, pétrifié.

— Si ! confirma Gustave.

— Tu t'es trompé, c'est impossible !

— Il était déguisé en voyou, avec un blouson de cuir, mais c'est Lui, j'en suis certain !

Abasourdi, Hubert se servit un coup de rhum à son tour.

— Ça c'est fort, ah, ça c'est fort ! murmura-t-il.

— Il faut prévenir la police !

À cet instant, Hubert se redressa. Il se tint raide, les bras le long du torse, la tête rejetée en arrière. Ses narines palpitaient.

— Tu sens, mon fils ? demanda Gustave.

— Ouvre grand la fenêtre, poupa ! souffla Hubert.

— C'est qu'il fait pas chaud... protesta son père.

— Ouvre vite... vite ! supplia Foulereau junior en prenant une longue inspiration.

L'air glacial de la rue envahit la chambre. Hubert n'en souffrit point. Au garde-à-vous, les narines dilatées, il humait la bise, les yeux clos.

— Tu sens, fifils, dis-moi ce que tu sens ? murmura Gustave.

Hubert inspira avec volupté. Les poils qui saillaient de ses narines frémirent. Là-haut, tout au fond de ses fosses nasales, de mystérieux échanges moléculaires le plongeaient dans une intense extase.

— Oui, poupa... Je sens... Ça fleure bon la mort ! Ahhh... oui !

Il inspira de nouveau. Son visage était détendu, ses traits reposés, son nez sembla s'allonger, comme pour happer l'atmosphère entière.

— Je peux refermer la fenêtre ? suggéra Gustave, qui grelottait.

— Attends encore un peu ! C'est si bon, poupa, si bon...

Transi, Gustave contemplait le nez de son rejeton. C'était bien lui qui avait engendré un tel prodige. Soudain, Hubert s'effondra sur le lit. Gustave ferma la fenêtre, tira les rideaux.

— Il ne faut surtout pas prévenir la police, poupa, surtout pas ! lui souffla Hubert avant d'éclater de rire.

Le lendemain, il se présenta au domicile de Guy de Fombreuse, son ancien condisciple de la faculté de droit. La famille de Fombreuse — gros, gros sous — était fortement introduite dans les milieux politiques. Guy, à l'issue de ses études, obtint l'investiture des Radicaux-Réformateurs, un groupuscule qui se situait à l'extrême gauche du centre droit. Il fut élu à l'Assemblée... Depuis, le jeune homme pataugeait avec la plus grande aisance dans ce marigot, multipliait les coups médiatiques, et ses facéties inquiétaient fort les leaders du Rassemblement.

Hubert attaqua directement, annonçant l'existence d'un secret, dont lui et son père étaient seuls détenteurs, un secret qui intéresserait de Fombreuse au plus haut point... Celui-ci se mit à saliver abondamment. Sa mâchoire s'ouvrit toute grande. Ses pattes frémirent, sa queue fouetta le sol. En quelques mots, Hubert le mit au courant.

— Nooon ! couina de Fombreuse.

— Si, mon cher... aussi invraisemblable que cela puisse paraître ! susurra Hubert.

— Nooon ! répéta de Fombreuse. Des photos, des preuves, vite, tout de suite ! Combien, combien ?

— Patience... répliqua Hubert. Mieux vaut attendre un peu... une semaine, par exemple...

— Mais pourquoi donc ? s'étrangla le député.

Puis il comprit l'intention de Foulereau. Il ricana, avant de s'inquiéter de nouveau.

— Êtes-vous certain que cela va durer ?

— Tout me porte à le penser...

— Ce serait fantastique ! Hubert ! Ce que vous voudrez, quand vous le voudrez !

— Un petit poste de conseiller général ?

— Accordé !

— Merci ! reprit Foulereau junior, mais je veux agir seul ! Gardez le silence et ne me mettez pas de bâtons dans les roues !

— Diable ! C'est que ça peut être dangereux, vraiment, vous ne voulez pas que...

— Ne craignez rien ! l'interrompit Hubert, mon père est à mes côtés !

— Comme tout cela me plaît ! s'écria de Fombreuse. Le scandale éclatera durant la convention du Rassemblement ! Je rêve, mon Dieu, je rêve !

— Je vous prouverai que non ! conclut Hubert, avant de prendre congé.

Le soir même, les Foulereau se harnachèrent pour l'expédition. Le fils chargea son appareil photo, le père empocha le 357 Magnum qu'il avait amoureusement graissé tout l'après-midi.

10

Dans le plus grand secret, le commissaire Glapier avait réuni son escouade de faux clochards dans un stade de la porte de Montreuil pour le briefing d'avant l'attaque. Il leur lut un article moqueur concernant l'incurie de la police dans l'affaire qui les occupait.

— Voilà comme l'on nous traite ! dit-il d'une voix blanche. On voudrait que je renonce ? Que je mette les pouces ? *But !* Sachez-le, mes braves, je méprise ces lazzis, je me gausse de ces quolibets ! Glapier se cramponne, Glapier s'agrippe, Glapier fait face ! Persiflez, folliculaires venimeux ! Brocardez la vaillante police, plumitifs atrabilaires ! Gobergez-vous, messieurs les pisse-copies, *but, but, but*, Glapier plie, *but* ne rompt point !

— Vous énervez pas, boss, grommela Vimont, et dépêchez-vous, les hommes ont froid.

Formant un demi-cercle autour du commissaire, une cour des miracles policière battait sa semelle cloutée. Sanglés dans de vieilles frusques, emmitouflés dans des chiffons, les hommes du commando Glapier soufflaient sur leurs doigts pour combattre l'onglée. Leur chef, dans son accoutrement de zouave évadé d'un stalag psychiatrique, les attira à lui. Il tira de sa musette un plan de métro abondamment hachuré de rouge.

— Dispositif pour la nuit ! annonça-t-il. Matricules 6215 et 9342, vous couvrez Châtelet, *but*, vigilance !

L'énumération continua. Paris fut quadrillé. On se dispersa.

Glapier, assisté de Vimont, traînait ses galoches dans le secteur Belleville.

— Vous verrez, mon petit, promit Glapier, c'est ici que

la funeste tuerie a commencé, *but*, c'est ici que nous y mettrons fin !

Ils erraient entre Couronnes et Colonel-Fabien et retour, descendant d'une rame pour monter dans une autre. À 0 h 45, le service cessa. Une quinzaine de clochards s'étaient regroupés à Belleville et dormaient à même le quai. Les deux policiers se joignirent à eux. Jusqu'à 2 heures, le plus grand calme régna dans les couloirs déserts. La direction de la R.A.T.P. avait laissé les grilles ouvertes, dans un grand élan philanthropique. D'autres traîne-misère vinrent chercher refuge dans les sous-sols.

Brusquement, à 2 heures, on entendit des hurlements, en provenance de la surface. Glapier bondit sur ses jambes et galopa vers la sortie. Quand il déboucha en haut de l'escalier, il découvrit un vagabond étendu par terre, la gorge tranchée. Tandis que Vimont tentait de secourir la victime, le commissaire se lança à la poursuite de la silhouette qui s'enfuyait sur le boulevard. À cette distance, il ne put en distinguer les traits.

— Halte ! hurla-t-il en sortant son arme. Je tire sans sommation ! *But, but, but !*

L'assassin obliqua sur la gauche et disparut dans la rue Ramponeau. Un car de police arriva, sirènes hurlantes. Glapier exhiba sa plaque pour se faire reconnaître, sauta sur le marchepied et ordonna au chauffeur de remonter la rue.

Les Foulereau, qui se tenaient en faction tout près de là, ne perdirent rien de cette scène dramatique. Leur voiture était garée près du métro et ils démarrèrent pour suivre le car.

— Il ne faut pas qu'ils l'arrêtent ! cria Hubert. Pas avant la semaine prochaine !

Gustave ouvrit la portière, arma son 357 Magnum, visa, tira. La balle fit exploser le pneu arrière du car de la P.S. qui se mit à zigzaguer avant d'emboutir la vitrine d'un restaurant.

— Bravo, poupa ! dit Hubert en appuyant sur l'accélérateur.

— *But ! But ! But !* Ce n'est que partie remise ! jura Glapier.

Il était couvert de détritus qu'il époussetait à grand-peine. Au pas de course, il revint vers le métro. La victime venait de succomber.

En quelques minutes, alertés par le réseau radio, des renforts de police affluèrent. Les sans domicile fixe furent raflés dans un rayon de trois cents mètres. Étienne Chabot de Vaudricourt de la Musardière-Huzard était du lot.

À la préfecture, on installa ce beau monde dans un réfectoire de fortune et l'on servit force coups de pinard ainsi que des sandwiches à volonté. Étonnés par l'attitude des flics, les miséreux se remplirent la panse avant qu'un contre-ordre ne les prive d'une telle aubaine.

Étienne se curait les dents en protégeant son gobelet de gros rouge de la convoitise de ses voisins, quand il vit arriver un personnage fort curieusement vêtu.

— Faites silence, manants ! tonna Glapier. Je suis le commissaire chargé de mettre fin aux sinistres exploits du monstre qui rôde dans la ville et se livre sur vos semblables à de sanguinaires manœuvres !

Il fit grande impression. On l'écouta dans le plus grand recueillement.

— Messieurs, poursuivit-il, j'attends votre aide ! Décrivez-moi l'ogre qui vous décime, *but*, et je me fais fort de le traîner jusqu'aux bois de justice !

Les convives s'agitèrent. Qui décrivait un nain, qui un géant. L'un avait vu — de ses yeux vu — un petit lascar basané porteur d'un béret, tel autre décrivait une grande brute nordique coiffée d'un haut-de-forme. Vimont se gratta le nez, perplexe. Un des experts du laboratoire l'entraîna à l'écart et lui dit qu'on avait récupéré la balle qui avait déchiré le pneu du car au carrefour Belleville/Ramponeau. Les investigations démarraient pour tenter d'identifier l'arme.

Quand l'inspecteur se consacra de nouveau à l'audition des témoins, la tension était montée d'un cran. Les partisans du géant invectivaient les défenseurs du nain, les tenants du béret apostrophaient les adeptes du haut-de-forme. Le marquis de Vaudricourt, circonspect, ne militait pour aucune des doctrines en présence.

En désespoir de cause, Glapier fit libérer tout le monde. Vimont, ému par sa détresse, le consola du fiasco en lui faisant miroiter les nombreux indices que ne manquerait pas de révéler l'examen balistique.

Face à Notre-Dame, à la sortie de la préfecture, la meute des clodos se trouva livrée à elle-même. Le vin avait échauffé les esprits. La polémique continuait. On échangea même quelques coups, mais la froidure calma bien vite l'ardeur des protagonistes. Les pauvres bougres réalisèrent alors qu'on venait de les abandonner, une fois de plus, seuls face à la Menace. Sans qu'un leader n'en donne l'ordre, la décision fut prise de rester groupés. D'un pas gaillard, la troupe s'en fut squatter les couloirs du Forum des Halles. Étienne suivit le mouvement.

11

Jeté de son boulot, trahi par sa femme, réduit à l'état de loque à la suite d'une panne dans le système de protection sociale, le marquis de Vaudricourt n'en était pas pour autant au bout de ses peines.

Certes, il avait été roulé par Foulereau, lâché par Didambert, humilié par l'assistante de l'agence Bousquier... il manquait à cette descente aux enfers la tendre note finale à la mélodie funèbre de sa chute, la touche ultime au tableau de son anéantissement, pour le décider à arrêter les frais.

Le matin, les vigiles du Forum expulsèrent les clodos qui s'y étaient réfugiés. On vira donc Étienne à grands coups de rangers dans l'arrière-train. À cela, il était habitué. Au-dehors, dans les rues avoisinantes, une faune de noctambules traînait encore, de café en café. Étienne s'approcha d'un pub...

Son nez touchait le verre de la façade. Le décor moelleux lui apparut, comme en un rêve, brouillé par la buée que faisait naître son haleine contre la vitre. Des couples dansaient. Une femme, grande et belle, seule, trempait les lèvres dans une coupe de champagne, assise sur un des hauts tabourets du bar, et son regard semblait nostalgique. Étienne eut envie d'elle. De la prendre dans ses bras, de la coucher sur un lit de satin mauve, et, nom de Dieu de nom de Dieu, de se la faire à la hussarde. Son désir n'était nullement romantique. Mais impétueux. Irrépressible.

Il pénétra dans le pub et s'approcha de la créature convoitée. Sans qu'elle ait eu le temps de réagir, il se jeta sur elle, la fit culbuter sur la moquette, plaqua ses pognes crasseuses sur les seins fermes, n'entendit pas les cris, ne sentit ni les coups ni les griffes sur son visage. Il s'apprêtait à consommer malgré la résistance de son infortunée partenaire quand il fut soulevé du sol, arraché à son paradis. La porte s'ouvrit, on le projeta au-dehors, et il atterrit sur le bitume, face contre terre, le pantalon sur les genoux. Un attroupement se forma.

Soudain, le marquis entendit un fou rire nerveux. Celui d'une femme. Tout près de lui, Henriette, la marquise, se battait les flancs, désignant son époux en si fâcheuse posture.

— Pourquoi qu'c'est qu'tu t'marres ? demanda le robuste gaillard qui avait rudoyé Étienne.

— Ah... Marcel... Marcel ! gloussa la traîtresse. C'est mon mari !

Elle pouffa de nouveau. Marcel s'approcha d'Étienne, se pencha sur lui.

— C'est vrai qu'c'est toi l'marquis ? demanda-t-il, interloqué.

— De Vaudricourt de la Musardière-Huzard ! articula Étienne.

— Ben, mon salaud, t'avise plus d'traîner dans c'te boîte ! C'est moi l'videur ! Allez, gicle !

Il empoigna le marquis et le poussa vers le carrefour. Étienne tentait de remonter son pantalon et s'éloignait en se dandinant. Henriette le poursuivit et, de la pointe de son talon aiguille, lui titilla les mollets. Il courut jusqu'au parvis de Beaubourg, s'affala sur un banc et pleura, abruti de malheur.

La journée entière passa sans qu'il bouge. Il grattait ses croûtes, fouillant les plaies de ses ongles répugnants de saleté. Il se curait le nez, poussait de petits grognements dès qu'un autre clodo faisait mine de s'asseoir à ses côtés. Le froid du soir le fit grelotter.

La boucle était close. Les grévistes, les bleus, les skins, et maintenant Marcel, tout le monde avait pu se défouler sur cette brave bête de marquis envoyé sur terre pour servir de souffre-douleur à tous les méchants.

Il eut faim, fouilla ses poches, en vain. Il tenta de faire la manche, mais les rares passants préféraient offrir leur argent aux joueurs de guitare qui faisaient le pied de grue à la sortie des cinémas. Il s'éloigna de Beaubourg, enfila la rue Rambuteau. Les gens se hâtaient de rentrer chez eux, les bras encombrés de filets à provisions.

Étienne leva les yeux vers les fenêtres des immeubles. Il vit les lumières douces, les éclairages feutrés... et préféra regarder les pavés. Une petite vieille passa près de lui. Elle tirait un Caddie rempli de victuailles. Il lui emboîta le pas et tendit la main pour chiper une boîte de conserve qui ballottait entre deux bottes de poireaux. Prestement, il la fit disparaître dans sa poche. La petite vieille poursuivit son chemin sans se douter de rien.

Il lui fallait maintenant de quoi ouvrir la boîte. À la devanture d'un restaurant, un marchand d'huîtres vantait sa marchandise. Coques, bulots, palourdes attendaient le client, nichés dans leur lit d'algues et de glace. Étienne, modeste, lorgnait le couteau de l'écailler. Quand celui-ci tourna le dos pour préparer une bourriche, le marquis s'empara de l'instrument et s'enfuit. Il trottina une centaine de mètres avant de se réfugier, hors d'haleine, sous un porche accueillant. Il entreprit alors d'ouvrir sa boîte, défonçant le couvercle à coups de couteau. Quand l'ouverture pratiquée lui permit d'extirper le contenu, il s'aperçut qu'il avait volé du Canigou. Lui, Étienne, dernier descendant de la lignée des Vaudricourt, en serait réduit à manger de la nourriture pour chiens ? Non ! Dans un sursaut d'orgueil, il jeta la boîte. Il s'effondra parmi les poubelles.

Mourir, il voulait mourir. Rejoindre ses ancêtres. Des tocards, à son image. Pour cela, il fallait des forces... Il ramassa la boîte et mangea la pâtée. Tout compte fait, ce n'était pas si mauvais. Un peu aigre. Bourratif.

Quand il eut lapé le dernier morceau de viande, il s'essuya la bouche d'un revers de manche, fourra ses poings dans ses poches et se mit en marche. Il serrait très fort le couteau de l'écailler.

Rambuteau, le Marais, Bastille... Étienne remonta le Faubourg-Saint-Antoine. Arriva à Nation, obliqua dans la rue de Picpus. Là, au numéro 35, se trouve le couvent de la congrégation des Sacrés-Cœurs et de l'Adoration. Il s'agit d'une bâtisse austère, qui semble narguer le temps, entourée d'immeubles modernes. Le couvent est flanqué d'une maison de retraite et d'un long jardin au bout duquel se trouve un mur percé d'une grille.

Au-delà de la grille s'étend un étrange cimetière : celui de la noblesse française. De l'authentique, cela va sans dire. N'y moisit pas un cadavre d'imposteur de l'Empire. Pour être enterré là, il est nécessaire de montrer patte blanche, en présentant ses quartiers. Quelques dizaines de tombes défient l'époque et sa philosophie égalitaire. Étienne était souvent venu s'y recueillir...

La fondation du cimetière remonte aux journées révolutionnaires de 1794. À cette époque, on zigouillait le ci-devant en deux coups les gros. La guillotine était dressée près des colonnes du Trône, toutes proches. Et les révolutionnaires, imprévoyants, n'avaient pas songé au problème délicat que poserait l'entassement des corps des suppliciés. Il fallut se rabattre sur le premier espace vert venu : les jardins du couvent des chanoinesses du Petit-Picpus. On y creusa des fosses. Y aboutirent, entre autres, les seize carmélites de Compiègne, André Chénier...

Plus tard, après la Révolution, les familles des raccourcis achetèrent le terrain et en firent un lieu de pèlerinage. Et, puisque le pli était pris, ce fut du dernier chic de se faire inhumer en ces lieux. On l'a deviné, Yves de Vaudricourt, organisateur de la fuite de Louis XVI à Varennes, dormait dans une des fosses, la tête sous le bras. Après sa capture, il passa quelques mois à la Conciergerie, avant de monter dans la charrette omnibus, direction la place du Trône, le 29 messidor an II.

Étienne voulait périr ici. Se trancher les veines après s'être étendu sur le gravier qui recouvre les fosses. Son âme tourmentée rejoindrait celles de ses aïeux et, là-haut, dans les cieux, ce serait sans doute plus rigolo qu'ici-bas.

La porte d'entrée du couvent était close, mais Étienne connaissait bien l'endroit. Il fallait longer la rue de Picpus, entrer dans l'hôpital Rothschild : un simple muret séparait la cour de l'hôpital des jardins du couvent.

Il observa le gardien qui regardait la télévision dans sa loge, laissa passer une ambulance puis fonça, courbé en deux. Quelques vieux lits de fer rouillaient dans la cour. Étienne s'en servit comme d'une échelle, il bascula de l'autre côté du muret. Malgré le froid, la quiétude du décor l'emplit de joie. Au loin, il entendit les échos d'un cantique que chantaient les chanoinesses. La voix flûtée des nonnes réchauffa son cœur meurtri. Il pleura et marcha dans le parc, étourdi par la mélodie. La neige crissait sous ses pas.

Il sortit le couteau de sa poche et se dirigea vers le cimetière. Il lui faudrait encore escalader la grille, mais ce serait un jeu d'enfant. Il s'allongerait sur le sol, se trancherait les veines. Son sang fuserait, imbiberait la terre. Étienne ne doutait pas qu'il pénétrerait dans les profondeurs de la fosse et noierait les restes de son ancêtre Yves d'un flot vermeil. Ainsi la malédiction qui avait accablé les siens prendrait-elle fin.

12

Il s'apprêtait à exécuter ce programme quand des éclats de voix le firent sursauter. On s'approchait. Allons bon, songea-t-il, on vient me saboter mon trépas ! La conversation était animée. Étienne se faufila derrière un buisson et aperçut deux silhouettes. Il distingua une voix d'homme, une autre de femme.

— Allons, ma sœur ! Je t'en prie, confesse-moi !

— Mais c'est interdit !

— Certes, mais je ne peux aller voir un prêtre. Tu m'entendras et par ta bouche je serai pardonné si je me suis trompé de voie...

Ils s'approchèrent encore. Étienne se tassa dans son buisson. La femme portait un voile de nonne et une cornette. Son compagnon, le marquis le connaissait : il s'agissait du chanoine Jules ! Aucun doute, le béret, la canne, la soutane, les gestes... il était là, tel qu'au carrefour Belleville, dans son camion à frites ! Il s'assit sur un banc tout près du buisson où Étienne avait trouvé refuge. La nonne l'imita.

— Bien, je te l'accorde, dit-elle dans un soupir, mais c'est parce que tu es mon frère !

— Ah, te souvient-il de nos jeux d'enfants après le catéchisme, Ernestine ?

— Oui... tu me cachais mon missel !

— Et toi, mes cierges !

Étienne pestait intérieurement contre le retard imposé à son suicide.

— C'est que, vois-tu, je suis tourmenté, Ernestine, poursuivit Jules.

— Parle donc...

Il parla. Étienne n'en crut pas ses oreilles. Tout y passa, les pauvres, les camions à frites offerts par Durieux-des-fast-food, Dieu converti au marxisme, le rachat promis par saint François...

— Es-tu bien sûr qu'il s'agit de saint François ?

— Je te dis que je l'ai vu comme je te vois ! s'énerva Jules. Il est venu chez moi, à Nanterre !

— Et que t'a-t-il ordonné ?

Jules raconta. Étienne frissonna. La nonne poussa un cri d'effroi.

— J'étais coincé, tu comprends ? ajouta Jules. Saint François me l'a demandé... un franciscain ne refuse rien à un autre franciscain, tu le sais, alors tu penses, à François lui-même !

— Mais pourquoi ? Pourquoi ? balbutia Ernestine, horrifiée.

— Il a besoin de renfort pour remettre de l'ordre au paradis !

Étienne entendit le souffle de la nonne s'accélérer. Elle priait à toute vitesse en égrenant son chapelet.

— Si tu l'as fait en étant persuadé que tu œuvrais pour le Bien, alors, Dieu te pardonnera, mon pauvre Jules !

— Mais si je te dis que c'est sur ordre de saint François, nom d'un chien, Ernestine, es-tu sourde ?

— Je... je ne dirai rien... à personne, souffla la nonne, mais ne reviens plus ici, jamais !

Elle s'enfuit en courant, retroussant sa robe pour détaler plus vite.

— *Ego te absolvo !* cria-t-elle sans se retourner, mais en esquissant un vague signe de croix.

— Et voilà ! s'écria Jules, dépité. Même ma propre sœur ne veut pas me croire. Ah, c'est rien de le dire, le clergé régulier, c'est rien que du ramolli ! Elles se coltinent pas l'époque, les nonnettes, alors que nous, les séculiers, on patauge dedans ! Bon, eh bien, puisque personne ne veut me conseiller, je m'en remets à saint François !

Et il tourna les talons en chantonnant « Tiens, voilà du levain, voilà du levain... » ; Étienne se tassa encore un peu plus sur lui-même. La silhouette du chanoine s'éloignait. Jules battait l'air glacé de grands moulinets de sa canne. Le marquis se leva et, collé au mur, le suivit. Jules sortit dans la rue de Picpus et monta dans une 2 CV poussive. Étienne se cacha derrière un camion. Jules ne démarrait pas. Il s'agitait à l'intérieur de la voiture à tel point qu'elle tanguait. Puis il réapparut, méconnaissable. Il avait troqué sa soutane contre une salopette et un blouson de cuir. Une casquette avait remplacé le béret. De l'accoutrement antérieur ne subsistait que la canne...

Jules longea la rue de Picpus, d'un pas gaillard. Dissimulé derrière les voitures garées le long du trottoir, Étienne le fila. Il ne remarqua pas la CX noire qui roulait au pas sur la chaussée. Les Foulereau, quant à eux, n'avaient d'yeux que pour le chanoine !

13

Jules rejoignit la place de la Nation et se dirigea vers le cours de Vincennes. Étienne se coula derrière l'une des colonnes du Trône. La CX remontait la contre-allée. L'avenue était déserte. Devant les vitrines du Printemps, un corps était allongé, tassé dans le renfoncement de l'entrée du magasin. Étienne, plaqué derrière un tronc d'arbre, vit Jules s'en approcher. Le marquis réprima un hurlement lorsque Jules dévissa le pommeau de sa canne et en tira une lame effilée.

Jules brandit son arme et se jeta sur le clochard endormi.

— Saint François t'appelle ! cria-t-il.

Il saisit le vagabond par les cheveux et lui trancha prestement la gorge. La victime s'effondra en hoquetant de surprise. Jules s'apprêtait à déguerpir, mais un second clochard, qui s'était installé près d'un tas de planches voisin, se dressa devant lui.

— Salaud ! Au secours ! beuglait-il.

Il tenait une tige de ferraille à la main et s'apprêtait à affronter Jules en duel. Les Foulereau jaillirent alors de leur CX. Gustave coucha en joue le courageux clochard et lui logea une balle en plein genou. Hubert se précipita sur Jules.

— Ne restez pas ici ! Foutez le camp ! lui ordonna-t-il.

— Mais... mais... bégaya Jules. C'est... c'est frère François qui vous envoie ? Vous êtes donc des anges ?

— C'est cela ! approuva Hubert. Allez, filez vite !

Le chanoine s'enfuit en courant. Les Foulereau remontèrent dans leur CX et déguerpirent à toute allure. Une sirène de police hululait au loin. Le clochard blessé se traînait sur le bitume et hurlait à la mort. Étienne ne s'attarda pas.

14

Glapier et ses commandos arrivèrent sur les lieux un quart d'heure plus tard. Le trottoir était couvert de sang et le cadavre y gisait toujours. Glapier exultait. Enfin il tenait un témoin de premier ordre !

— Ah ! Ah ! Ah ! *But ! But ! But !* s'écria-t-il en descendant de voiture. Bourreau ! Prépare ton office ! On n'échappe pas à Glapier !

Il dut déchanter. Le clochard blessé ne pourrait guère prêter son concours à l'établissement d'un portrait-robot : il était totalement myope...

— *But !* soupira le commissaire. Le sort s'acharne donc contre moi ! Inutile de lui demander si le tueur est grand, petit, unijambiste, palmipède ou congolais ! N'est-ce pas, Vimont ? *But !* Ne répondez pas ! Je connais déjà la sentence...

— Faut pas désespérer, boss, plaida l'inspecteur. On savait déjà que le tueur n'opérait pas seul. On est certains désormais qu'ils sont au moins trois ! Le clodo est formel ! Il n'a pu distinguer que de vagues silhouettes, mais il est sûr du nombre...

— Eût-il été atteint de strabisme, railla Glapier, nous nous retrouvions avec six coupables ! *But !* Voilà qui est troublant... jamais on n'a vu les maniaques se liguer en soviet pour perpétrer leur forfait !

— Effectivement, boss, approuva Vimont. Si vous me permettez, j'ajouterai que la solitude sied à merveille à cette engeance ! Ils fuient la promiscuité, s'adonnent à leur vice honteux hors de la vue de leurs congénères...

— Vous progressez, mon petit Vimont ! nota Glapier. *But !* Prépareriez-vous le concours interne ?

15

Étienne frappait à grands coups de poing contre la porte du couvent des Sacrés-Cœurs et de l'Adoration. À l'issue d'un quart d'heure de ce vacarme, le gros judas s'ouvrit enfin. Étienne aperçut un vieil homme, coiffé d'un bonnet de nuit et qui, d'une main tremblante, tenait une coupelle supportant une bougie.

— Ouvrez immédiatement, ordonna Étienne. Je veux parler à sœur Ernestine !

— Vous voulez réveiller la révérende mère à cette heure ? bredouilla le concierge, stupéfait.

— C'est une question de vie ou de mort ! Dites-lui... dites-lui que c'est de la part de saint François !

— De saint François ?

— Oui ! Allez !

Docile, le vieillard s'éloigna. Cinq minutes plus tard, la cornette en bataille, sœur Ernestine arrivait, tout essoufflée. Son visage ridé s'encadra dans le judas.

— Je viens vous parler de votre frère ! annonça le marquis, tout de go.

— Ah, mon Dieu... sanglota Ernestine en tournant la clé dans le verrou.

Bombant le torse, d'un pas altier, Étienne pénétra dans la cour du couvent. Ernestine le dévisagea craintivement. Le marquis dégageait une odeur infecte. Elle fit un pas en arrière.

— Je sais, ma sœur, ma mise n'est guère brillante... mais, voyez-vous, j'appartiens à l'agence Pinkerton pour laquelle j'enquête, et, afin de pister votre frère, j'ai dû user de stratagèmes fort désagréables...

— Ah, mon Dieu, il sait tout ! murmura sœur Ernestine, avant de s'évanouir.

Le concierge la rattrapa in extremis dans ses bras. Il contemplait Étienne, effrayé.

— Portez-la dans votre loge ! ordonna le marquis.

Le vieil homme se dirigea vers une petite maison de plain-pied qui jouxtait la chapelle. Il allongea Ernestine sur un canapé et tira une bouteille de cognac du buffet. La révérende mère toussa violemment quand il lui glissa le goulot entre les dents et s'éveilla. Étienne arracha la bouteille des mains du concierge et siffla une longue rasade.

— J'aurais grand plaisir à manger un morceau ! dit-il en lorgnant vers la cuisine, où pendaient quelques saucisses.

— Donnez à M. Pinkerton, mon bon Grégoire ! soupira Ernestine, puis laissez-nous...

Étienne dévora une omelette au lard, un fromage et vida une carafe de vin.

— Je meurs de faim ! dit-il, la bouche pleine. Mon enquête m'a contraint à sauter quelques repas, ces derniers jours !

— Vous avez suivi mon pauvre frère jusque dans les bas-fonds... constata-t-elle.

— Exact ! Je vous ai entendus, tous les deux, lors de sa « confession » !

— Ah, Marie, Jésus, et tous les saints... vous étiez dans le jardin ?

— Non ! l'agence Pinkerton dispose de moyens sophistiqués, j'ai capté votre conversation grâce à des micros directionnels !

— Directionnels ! Ah, mon Dieu, Marie, Jésus, Joseph et tous les saints !

— Jules est dans de sales draps ! poursuivit Étienne. Néanmoins, eu égard aux multiples services qu'il a rendus à l'humanité, mon agence est prête à négocier !

— À négocier ? Ah, mon Dieu, Jésus, Marie, Joseph, saint Marc, saint Luc, saint Jean, saint Pierre et tous les saints ! Négocier quoi ?

Étienne fut pris de court. Il avait concocté l'idée d'un petit chantage qui pourrait le remettre à flot, le sortir de la misère, mais là, devant cette nonne affolée, il comprit que ce ne serait pas chose facile. La révérende mère ne disposait sans doute pas à loisir des deniers de la congrégation et, surtout, la panique risquait de la mener au premier commissariat venu ! Pour éviter de répondre à la question, il mastiqua une bouchée de saucisse.

— Ah, mon Dieu, Jésus, Marie, Joseph, et tous les saints !

Que faire, Jésus, Marie, que faire... se lamenta Ernestine. Rendez-vous compte, monsieur Pinkerton, après-demain, Jules passe à la télévision, on va le démasquer...

Étienne était, cela va sans dire, totalement déconnecté de l'actualité politique.

— À la télévision ? s'étonna-t-il.

— Oui, voilà qu'il s'est mis en tête, toujours sur l'ordre de saint François, de participer à la convention du Rassemblement.

— Effectivement, admit Étienne, songeur, dans sa situation, il vaudrait mieux rester discret ! À la convention du Rassemblement, dites-vous ?

— Oui, ah ! mon Dieu, saint Jean, saint Barnabé, saint Eusèbe, saint Philémon, saint Yves, saint Michel...

Tandis que la nonne récitait le calendrier, le marquis réfléchissait.

— Ma sœur, dit-il soudain, j'ai besoin de votre aide !

— Elle vous est acquise, monsieur Pinkerton, pourvu que vous sauviez Jules !

16

Le lendemain matin, rasé de frais, décrotté, peigné, Étienne sortit du couvent, vêtu d'une soutane empruntée au père Léon qui célébrait les offices pour les chanoinesses de la congrégation.

— Dieu soit avec vous, père Pinkerton ! murmura la révérende mère en le voyant s'éloigner.

Ernestine lui avait remis un peu d'argent, en échange d'un reçu. Étienne héla un taxi et se rendit au parc des Expositions, à la porte de Versailles, où devait se tenir, le lendemain, le show du Rassemblement.

Des ouvriers s'affairaient à dresser des calicots, à installer la tribune surmontée d'un gigantesque portrait de Dartaud et du chanoine Jules. La soutane, emblème de l'innocence, permit au marquis de franchir les barrières gardées par la police et les membres du service d'ordre.

Étienne observa les préparatifs, puis demanda à voir un responsable. On lui indiqua un petit groupe qui circulait entre les gradins. Étienne reconnut Dartaud, Grantier, qu'il avait vus à la télévision et, juste derrière, souriant aux anges, Didambert lui-même !

Étienne blêmit et se dirigea vers eux. Un des gardes du corps de Dartaud le stoppa d'une poigne ferme. Dartaud se retourna, ainsi que Grantier.

— Laissez-moi parler au secrétaire ! cria le marquis.

— Qu'est-ce que c'est que ce curé ? grogna Dartaud.

— Connais pas... répondit Grantier.

Ils virent Didambert pâlir, s'agiter.

— Vous le connaissez, vous ? demanda Grantier.

— Oui... murmura Didambert, d'un tout petit filet de voix. Attention, il vient peut-être pour me tuer !

On ceintura Étienne, on l'allongea sur le sol et il fut fouillé par la garde de Dartaud. En vain. Le secrétaire fronça les sourcils.

— Qui êtes-vous, monsieur l'abbé ? Que me voulez-vous ? Je ne...

— C'est un fou... emmenez-le ! l'interrompit Didambert, qui s'était ressaisi.

— Il faut que je vous parle ! C'est de la plus haute importance ! s'écria Étienne.

— Eh bien... je vous écoute ! soupira Dartaud.

— En privé, c'est une affaire secrète !

— Je vous dis que c'est un fou ! insista Didambert.

— Vous fréquentez les milieux psychiatriques, à présent ? railla Grantier, irrité.

— Bien, laissez-nous avec l'abbé ! conclut Dartaud. Vous, Grantier, vous restez !

Les gardes du corps s'éloignèrent. Didambert dut se résigner à les imiter. Étienne rajusta sa soutane, lissa ses cheveux.

— Je ne suis pas abbé, je suis marquis ! annonça-t-il en guise d'introduction.

— Oh, oh ! ça commence bien ! gloussa Dartaud.

La suite le fit moins rire. Étienne lui parla longuement. Les traits du secrétaire et de son conseiller reflétèrent tour à tour la surprise, la colère, l'incrédulité, puis la peur...

— Foulereau, dites-vous... murmura Dartaud, épouvanté. Vous connaissez un Foulereau, vous ?

— Non, répondit Grantier, mais nous allons tout vérifier ! En attendant, il serait prudent de faire décrocher tous les portraits du chanoine !

Tandis qu'il transmettait ses ordres, Dartaud prit le bras d'Étienne et fit quelques pas à ses côtés.

— J'ignore qui vous êtes, monsieur, lui dit-il, mais si vous dites vrai, nous vous devrons beaucoup ! Je saurai vous témoigner toute ma gratitude !

Didambert, à quelques mètres, scrutait le marquis d'un

œil torve. Il pensait qu'Étienne récriminait à la suite de son éviction de la PROMOTEX et il ne parvenait pas à comprendre pourquoi le secrétaire s'intéressait à de telles vétilles.

— Je vous avais dit que c'était un fou ! dit-il quand il put de nouveau approcher Dartaud.

— Pardon ? Dites-moi, Didambert, cette idée de recruter le chanoine Jules, elle vient bien de vous, n'est-ce pas ? lui demanda le secrétaire.

— Absolument ! D'ailleurs tous les sondages indiquent que sa participation à la convention nous assurera dix points de plus à l'audimat ! Croyez bien, monsieur le secrétaire, que mon dévouement à notre cause est...

Dartaud s'était détourné au beau milieu de la tirade du gendre Hastings.

— Bien, dit-il à ses adjoints, poursuivons notre inspection ! L'acoustique de cette salle est-elle satisfaisante ?

17

Le soir même, Étienne, toujours déguisé en abbé, fut intégré au détachement de durs à cuire que dirigeait Grantier. Installés dans des camionnettes munies de périscopes ou attendant au volant de puissantes limousines, les barbouzes du Rassemblement étaient en planque autour de l'immeuble où vivait Jules. Grantier, dubitatif, se méfiait. Il voulait vérifier de ses propres yeux les dires du marquis.

Ses adjoints ne tardèrent pas à repérer la CX des Foulereau, accrochés aux basques du chanoine, exactement comme l'avait indiqué Étienne...

— Coffrez-les ! ordonna Grantier sur le réseau C.B. qui reliait ses équipes. Je commence à croire à votre histoire, l'abbé !

À minuit, le chanoine sortit de son immeuble et monta dans sa 2 CV. Il roula sagement vers Paris et quitta le périphérique à la porte de Montreuil. Il se gara dans une ruelle déserte. Quand il sortit de sa voiture, déguisé comme à son habitude, Grantier en resta pantois.

— Alors, en faudrait-il davantage pour vous convaincre ? demanda Étienne.

— Arrêtez-le tout de suite et mettez-le à l'abri ! cracha Grantier dans le micro de la C.B.

Jules s'éloignait, agitant sa canne au-dessus de sa tête.

Une des barbouzes surgit devant lui et lui barra la route. Jules se retourna. Il était cerné. Mais, alors que les hommes de Grantier s'apprêtaient à le ceinturer, un grand hurluberlu déguisé en zouave s'interposa, et se mit en garde.

— Ah, ah, ah ! Arrière, misérables ! *But, but, but !* On ne berne pas impunément Glapier ! *But !* Cette fois, vous n'en réchapperez pas !

— Qu'est-ce que c'est que ce guignol ? s'étrangla Grantier.

Glapier siffla entre ses doigts. D'autres clochards surgirent, et s'opposèrent aux barbouzes du Rassemblement. Une violente bagarre éclata.

— Regardez ! hurla Étienne. Il montrait le chanoine qui fuyait dans une rue adjacente.

Il se lança à sa poursuite, talonné par Grantier.

Jules galopait en riant aux éclats. Une fois de plus, saint François lui témoignait tout son amûûûr ! Il lui avait envoyé ses anges miséricordieux ! Jules se sentait invincible. Il atteignit le terre-plein où les commerçants des puces installent leurs étals durant le week-end. L'endroit, plongé dans la pénombre, était désert.

Jules stoppa sa course et fit volte-face. Étienne et Grantier freinèrent des quatre fers. Le chanoine dévissa le pommeau de sa canne et s'avança vers eux.

— Nous savons tout ! Allons, soyez raisonnable ! lança Grantier, essoufflé.

— Saiiiint Françoiiiis ! hurla Jules en se ruant sur Étienne.

Celui-ci fit un bond en arrière. Grantier avait dégainé son arme et pressa la détente. La canne-épée se brisa. Jules la contemplait, hébété. À présent que tout danger était écarté, Étienne s'approcha et lui expédia un grand coup de pied dans le ventre.

— Frère François ! sanglota Jules, à genoux sur le bitume. Vous m'avez abandonné... Pourquoi ?

Il leva la tête vers l'homme en soutane qui venait de le frapper.

— Êtes-vous membre de l'I.G.S. ? demanda-t-il.

Étienne ne comprit pas. Il ignorait l'existence de l'Inspection générale des sacerdoces, cette cohorte d'incorruptibles qui, de Rome à Zanzibar, tous les jours que le bon Dieu fait, traque les vicaires onanistes, les escrocs du denier du culte, les moines sodomites, et que le moindre novice apprend à redouter dès son arrivée au séminaire...

— Prenez mon arme et surveillez-le ! dit Grantier. Je reviens avec la voiture !

De longues tractations furent nécessaires pour libérer les barbouzes du Rassemblement indûment coffrées par le commando Glapier. Au domicile des Foulereau, on découvrit un dossier complet des photos des meurtres commis par le chanoine. Grantier fit détruire les négatifs, récupéra le 357 Magnum de Gustave et sermonna les deux croquemorts. Hubert claquait des dents, terrorisé, ligoté sur une chaise, tandis que son père encaissait mieux le choc. Ils avouèrent tout : les filatures auxquelles ils s'étaient livrés, le projet de Fombreuse qui comptait remettre les photographies à la presse au moment même où le chanoine monterait à la tribune de la convention...

18

Dartaud pressa affectueusement la main d'Étienne. Grantier déboucha lui-même la bouteille de dom pérignon que le valet de chambre avait déposée sur le guéridon. Les trois hommes, installés dans la suite du George-V que Grantier avait réservée pour Étienne, burent avec délectation. Un tailleur était venu prendre les mesures du marquis, suivi d'un bottier.

— Je suis votre débiteur, monsieur de Vaudricourt ! dit Dartaud. Un poste dans le Rassemblement vous tente-t-il ?

— Oh non ! Je ne suis pas un politique ! Je voudrais simplement retrouver mon emploi...

— Ah oui, grimaça Dartaud avec une moue d'écœurement. Ce Didambert... le gendre Hastings, n'est-ce pas ? La semaine prochaine, je me rends aux États-Unis. J'y rencontrerai Hastings en personne. Permettez-moi de lui toucher deux mots de votre situation.

19

— Tourcoing ! annonça le préfet de police.

La bagarre avec les hommes de Grantier avait été rude. Glapier n'en était pas sorti indemne. Ses lèvres tuméfiées chuintèrent avant qu'un « beute » ne sorte.

— Tourcoing ! insista le préfet. Vous signez ici !

Il tendit un formulaire de demande de mutation. Glapier le parapha la mort dans l'âme.

— *But !* dit-il encore.

— Tourcoing, charmante ville du Nord, au climat rude, certes, mais qui vous accueillera à bras ouverts ! Et je ne veux plus entendre parler de vous, jamais !

Le commissaire sortit du bureau. Vimont l'attendait dans le couloir.

— Alors, boss ? demanda-t-il.

— Alors, mon petit Vimont, c'eût pu être Austerlitz et ce fut Waterloo... Montreuil, morne plaine ! On me limoge, on m'écarte, on évacue Glapier, *but*, voilà comme on récompense mon génie stratégique, comme on salue mes prouesses, *but !* Car enfin, Vimont, nous le tenions ! Qui était-ce, au fait ?

— Secret d'État, boss...

— Oui, Vimont ! Secret d'État ! Une fois de plus ! Soit, je pars, soit, je m'exile ! *But !* Qui se souviendra de Glapier ? Celui qui, parmi ses pairs, méritait de connaître un destin des plus glorieux avant qu'une effroyable machination ne le contraigne à déposer les armes !

L'écho de ces paroles résonnait encore dans le grand hall de la préfecture alors que le commissaire et son adjoint s'accoudaient au zinc du bistrot le plus proche...

20

Suivi par les cameramen de sa chaîne, Patrick Savatier pénétra en petite foulée dans le siège de la Socofix. L'émission se déroulait en direct, tous les samedis matin. Étienne, assis derrière son bureau, suivait la progression du journaliste sur l'écran d'un téléviseur.

— Détendez-vous... Tout va très bien se passer ! lui assura Bénédicte.

Elle lui massa doucement les tempes. Étienne, surmontant sa rancune, l'avait engagée comme conseillère exclusive et ne regrettait pas sa décision. La jeune femme le soutenait dans sa lutte sans merci contre le staff islamiste... Le directeur n'avait pas digéré la décision du grand Hastings de relancer la gamme chrétienne classique au détriment du tout-islam et patientait, à l'affût, guettant les moindres faits et gestes du marquis.

— Souriez en permanence et fixez l'œil de la caméra comme si vous me parliez ! reprit Bénédicte...

— Nous visitons ce soir le siège de la SOCOFIX, numéro un mondial de l'article religieux, dont le marquis de Vaudricourt de la Musardière-Huzard dirige le desk chrétien ! expliquait Savatier, qui traversait la salle d'exposition, au vingt-quatrième étage de la tour.

Les téléspectateurs purent admirer les nombreux gadgets dont la SOCOFIX inondait le marché.

— Dans une minute, il entre ! dit Étienne, d'une voix nouée par le trac.

— Tout va bien se passer ! répéta Ernestine.

La révérende mère s'était décidée à s'exclaustrer de son couvent trois mois plus tôt et assistait Étienne, qui avait su trouver les mots pour la convaincre de devenir sa conseillère technique. La cohabitation entre les deux femmes était parfois houleuse, mais le marquis ne se serait séparé ni de l'une ni de l'autre...

La porte du bureau s'ouvrit. Sur l'écran défilait le générique de MANAGER, *le magazine des hommes d'entreprise.*

— *Good luck !* murmura Bénédicte à l'oreille du marquis.

— Dieu est avec vous ! ajouta Ernestine à l'autre oreille.

— Monsieur de Vaudricourt ! Bonjour ! s'écria Savatier. Merci de nous accueillir deux jours à peine après que la branche de la SOCOFIX que vous dirigez a été de nouveau introduite sur le second marché ! M. de Vaudricourt a suivi la filière d'excellence que les habitués de MANAGER connaissent si bien.

— En effet... dit sobrement Étienne.

— Monsieur de Vaudricourt, relancer l'article chrétien, c'était un formidable challenge ?

— Tout à fait ! répondit Étienne. Mais pour gagner, l'entreprise doit croire à ses propres valeurs, réinvestir sa culture spécifique, et ses dirigeants doivent ajuster leur stratégie en conséquence !

En retrait, Bénédicte et Ernestine exultaient.

— Cette réussite, reprit Savatier, la SOCOFIX la doit-elle à votre charisme ?

— C'est à mes collaborateurs que vous poserez cette question ! gloussa le marquis, le rose aux joues.

— Monsieur de Vaudricourt, en quelques mois, vous avez prouvé qu'un gisement de productivité existait bel et bien sur le créneau du produit religieux. Vous avez recruté des centaines de collaborateurs compétents, très performants...

— En effet, mon personnel est motivé, je suis parvenu à maîtriser le *turn-over* ! récita Étienne.

— Monsieur de Vaudricourt, encore une question ! Dans notre magazine MANAGER, nous répercutons le débat qui traverse de nombreuses entreprises et concerne les outils de management... Quelle est votre attitude ?

Étienne prit une profonde inspiration et fronça les sourcils.

— Vous savez, Patrick, dit-il, je suis avant tout un pragmatique. Vous faites sans doute allusion à cette nouvelle foi dans un management « déstructuré », ondoyant, souple, éventuellement transgresseur... Elle n'est hérétique qu'en apparence !... En fait, « l'excellence » vient redresser les errements de son frère aîné, le management scientifique... comprenez-vous ?

— À vos talents de manager, vous ajoutez celui de pédagogue ! s'extasia Savatier, sous le charme.

Quand l'interview fut terminée, Bénédicte et Ernestine, d'un même élan, sautèrent au cou d'Étienne pour le féliciter de sa prestation.

— C'était parfait ! s'écria Bénédicte.

— Tout cela grâce à vous... vous m'avez tout appris. Avant, j'étais un homme de terrain, à présent je suis un véritable dirigeant !

— Hum ! toussota Ernestine en consultant sa montre. Monsieur de Vaudricourt, auriez-vous oublié... ?

— Non, bien sûr... soupira Étienne dont le regard se voila de tristesse.

Bénédicte n'était pas dans la confidence. Discrète, elle s'éclipsa. Étienne fit appeler sa voiture.

21

Le chauffeur conduisait avec délicatesse. Confortablement installés à l'arrière de la limousine, Étienne et Ernestine regardaient le paysage. Il y avait des arbres, de jolies collines, des vaches, des meules de foin... mais les deux voyageurs n'étaient pas d'humeur à goûter le spectacle de la nature en fête. Ils allaient rendre visite à Jules, interné dans une clinique dont la clientèle se composait d'ecclésiastiques...

L'endroit était tenu secret, sans quoi la meute des journalistes, toujours avides de sensationnel, eût assiégé sans relâche cette abbaye transformée en hôpital. Les hauts murs qui entouraient le parc protégeaient des regards indiscrets les serviteurs de Dieu qui erraient là, en proie à leur délire.

Étienne avait lu le rapport du médecin-cardinal von Stulp, titulaire de la chaire de psychopathologie sacerdotale de l'université de Rome. Le cas du chanoine y était exposé : étiologie, symptômes, pronostic. Une commission d'experts s'était réunie pour étudier la maladie de Jules. On avait évoqué l'hypothèse d'une N.H.O. — névrose hallucinatoire œcuménique —, voire d'une phobie divine, ou syndrome de saint Benoît, qui voit le patient attacher plus d'importance à son saint patron — son « père d'emprunt » — qu'au Père véritable. De telles anomalies psychiques résultent toujours d'un traumatisme survenu au cours du catéchisme de la petite enfance. On parla même de théopsychose, ou psychose théologique, affection gravissime durant laquelle le patient régresse à l'état païen. Par suite de la destruction de sa foi, il n'est plus capable de distinguer, dans la Sainte-Trinité, le Fils du Père et du Saint-Esprit. De tels états, heureusement fort rares, débouchent généralement sur une paranoïa dite « de croisade ». Le malade veut à tout prix réformer le dogme, dont il se sent seul détenteur, envers et contre tous.

Étienne, profane en matière de psychiatrie religieuse, ne parvenait pas à émettre un avis. Les faits restaient. Jules, entendu en hypnoconfession, expliqua que Dieu était devenu marxiste. Saint François voulait prendre le pouvoir au paradis et y établir la règle franciscaine. Pour parvenir à ce but, il lui fallait des troupes d'âmes fraîches, d'authentiques déshérités, que Jules devait lui expédier...

Ernestine avait sa théorie concernant la folie de son frère. Le jour de son baptême, expliqua-t-elle au médecin responsable du traitement, il avait glissé des bras du prêtre, son front avait heurté le bénitier et, de cet accident bénin, il gardait encore les séquelles...

Étienne et la nonne descendirent de voiture et s'avancèrent. Le psychiatre-chef, un évêque-analyste disciple du grand von Stulp, les accueillit à bras ouverts.

— Ah, mes enfants, mes enfants ! s'écria-t-il. Jules va mieux, beaucoup mieux ! Venez le voir, il se promène au fond du jardin !

Ils croisèrent en chemin plusieurs déments qui folâtraient dans l'herbe. Étienne en reconnut certains mais la clinique recevait sans cesse de nouveaux cas. Il fallait avoir le cœur bien endurci pour supporter ce pitoyable spectacle. Ainsi ce jeune séminariste, atteint de cléricopriapisme, une affection redoutable qui frappe les hommes jeunes et vigoureux à l'heure où ils vont prononcer le vœu de chasteté... mal incurable et honteux. Le pauvre gars se frottait à un arbre, tenant à la main son sexe tuméfié.

— Ah, mon Dieu... gémit Ernestine en le voyant.

— Eh oui ! ma sœur, croyez-moi, dit le psychiatre, après avoir visité notre établissement, bien des cardinaux promettent de revoir la question du célibat lors du prochain concile...

Une infirmière l'appela de toute urgence. Étienne et Ernestine le suivirent. Ils furent témoins d'une scène atroce. Un vieux vicaire était monté sur les plus hautes branches d'un chêne et croassait à tue-tête.

— Allez, allez, frère Louis, ne faites pas l'enfant... Voulez-vous descendre !

L'autorité du médecin suffit à convaincre le malheureux. Il posa le pied à terre.

— Allez sur votre perchoir, frère Louis ! Allez, hop, hop !

Le vicaire trottina, écartant les bras comme s'il battait des ailes, vers un portique installé près de la rivière. Il y grimpa, reprit sa position ornithologique, et croassa de nouveau.

— C'est terrible, terrible ! balbutia Étienne, bouleversé.

— Oui... terrible ! murmura le médecin. Un cas hélas courant... Le vicaire Louis exerçait dans une banlieue rouge et, tout au long de sa vie, retranché dans son église déserte, il dut subir les sarcasmes des passants qui le traitaient de corbeau ! À l'âge de la retraite, il a craqué ! Il ne mange que des graines. Nous lui avons édifié ce perchoir, sur lequel il peut s'installer en toute sécurité. Mais venez, Jules est tout près de là, j'entends sa voix !

Un jeune curé à cheveux longs vint à leur rencontre. Le médecin fit les présentations.

— Voilà l'abbé Jacques, notre évangélothérapeute ! C'est lui qui soigne votre frère, Ernestine...

Jules était assis dans l'herbe, vêtu de rouge des pieds à la tête, et lisait un ouvrage de Lénine.

— Alors, Jules, comment va ? demanda l'abbé.

— Arrière, laquais de la bourgeoisie, suppôt du capital ! ricana le chanoine.

— Ah, Jules, mon Dieu... sanglota Ernestine. Saint Marc, saint Jean, saint Louis et tous les saints...

— Ma sœur, ne vous tourmentez pas ! s'écria l'abbé. Jules fait de grands progrès...

Il les entraîna un peu à l'écart. Ils s'assirent sur un banc.

— Mais, je ne comprends plus... dit Étienne. Il a renié saint François ?

— Tout à fait ! reprit l'abbé Jacques. C'est bien pourquoi j'affirme qu'il progresse ! Il se range aujourd'hui résolument sous la bannière du Seigneur, même s'il croit que celui-ci s'est converti au marxisme ! Jules éprouve en fait une grande culpabilité, qui date du temps du séminaire. Il n'est devenu capucin que pour faire plaisir à ses parents.

— C'est bien vrai, comment le savez-vous ? s'écria Ernestine.

— L'hypnoconfession, ma sœur ! répondit l'abbé. En fait, son ambition d'adolescent était de mener une grande carrière ecclésiastique, devenir cardinal et, qui sait... pape ? Il y a renoncé. D'où une récrimination sans cesse refoulée contre la hiérarchie épiscopale que Jules transcrit aujourd'hui dans son délire révolutionnaire... Me suivez-vous ?

— Tout à fait ! s'exclama Étienne, fasciné par la clairvoyance de l'abbé.

— Dans son délire antérieur, ce non-dit était déjà présent ! poursuivit Jacques. D'où la référence à saint François, fondateur d'un ordre mendiant, résolument hostile aux fastes de l'Église officielle... Suis-je clair ?

— Vous l'êtes, mon père, vous l'êtes... dit gravement Étienne.

— Il faut laisser opérer l'Esprit-Saint, conclut l'abbé. Jules retrouvera une vie normale, j'en suis persuadé !

— Puisse Dieu vous entendre, mon père, murmura Ernestine.

L'abbé s'était levé et se dirigeait vers Jules.

— Tout va bien, camarade ! lui lança-t-il.

— Mort aux bourgeois ! répondit Jules.

Ernestine voulut lui remettre les quelques friandises qu'elle avait apportées, mais il la traita de grenouille de bénitier. Étienne et la nonne saluèrent l'équipe médicale, assistèrent aux vêpres et rentrèrent à Paris.

22

Plusieurs mois s'écoulèrent. À l'encontre des prédictions de ses médecins, l'état de santé du chanoine ne s'améliorait pas. Voilà qu'il se proclamait maoïste, jugeant que l'attitude des marxistes classiques n'était pas assez radicale !

Étienne continuait d'engranger succès sur succès à la tête de la SOCOFIX. Il tentait, non sans espoir, de convaincre les investisseurs de créer un Bondieupolis à Marne-la-Vallée, à l'image de tous les autres parcs de loisirs. Le marquis était un homme heureux.

À la fin novembre, presque un an après son éviction de la PROMOTEX, il examina sous toutes les coutures le bilan du secteur islamiste de la SOCOFIX. Les chiffres parlaient d'eux-mêmes. La chute des ventes que l'on avait vue se dessiner durant le mois de ramadan se confirmait. Étienne décrocha son téléphone...

Une heure plus tard, toute honte bue, Foulereau Fils pénétrait dans le bureau du marquis.

— Voilà, lui expliqua celui-ci, Allah n'est plus rentable, donc, on brade ! J'ai l'aval d'Hastings ! Mais il faut être prudent, n'est-ce pas, Hastings ne veut pas que la liquidation de cette branche de la SOCOFIX sème le doute quant à la bonne tenue du groupe dans sa globalité... Vous saisissez ?

— Oh ! parfaitement, répondit Hubert.

— Très bien ! Je vous remets un dossier complet sur les managers du desk islamique, vous me trouvez le point faible, et on attaque ! Je vous fais confiance, Foulereau ?

À la fin décembre, tout le staff musulman avait démissionné de son plein gré. Étienne jubilait. Foulereau était cher, mais efficace. Noël approchait. Étienne avait prévu un petit réveillon auquel devaient participer Ernestine et l'abbé Jacques.

Le soir du 25 décembre, il sortit pour acheter une bûche. Il s'était relogé au centre de Paris, près du Forum des Halles, haut lieu de ses souffrances passées. Il se dirigeait d'un pas guilleret vers la boutique du pâtissier quand une pocharde l'accosta en lui demandant un franc. Elle était répugnante, vêtue d'une bâche de plastique en guise d'imperméable, et portait des tennis déchirées. Ses cheveux filasse pendaient sur son visage couvert de boutons. Elle empestait le mauvais vin. Étienne la repoussa d'une violente bourrade.

La poissarde se retrouva assise dans le caniveau et ameuta les passants.

— C'est mon mari ! Mon mari ! hurlait-elle.

Étienne la dévisagea attentivement et, sans nul doute, reconnut Henriette, la marquise, son épouse.

— Mon mari ! Mon mari ! beuglait-elle toujours.

Les passants observaient tour à tour Étienne, si élégant

dans son manteau en poil de chameau, et la créature déchue qui se vautrait dans l'eau sale.

— Son mari ! s'esclaffa-t-il. Elle prétend que je suis son mari !

Les badauds éclatèrent de rire. Étienne tourna les talons et s'éloigna. Henriette resta seule. L'eau clapotait autour de ses fesses. Elle pleura.

Quand le marquis sortit de la pâtisserie, sa bûche à la main, il constata qu'elle était restée dans les parages et glanait des mégots qu'elle décortiquait pour récupérer quelques brins de tabac.

Il fouilla dans ses poches et, d'un geste auguste, laissa tomber un cigare sur le sol.

EXTRAIT DU CATALOGUE LIBRIO

POLICIERS

John Buchan
Les 39 marches - n°96

Leslie Charteris
Le Saint
- Le Saint entre en scène - n°141
- Le policier fantôme - n°158
- En petites coupures - n°174
- Impôt sur le crime - n°195
- Par ici la monnaie ! - n°231

Arthur Conan Doyle
Sherlock Holmes
- La bande mouchetée - n°5
- Le rituel des Musgrave - n°34
- La cycliste solitaire - n°51
- Une étude en rouge - n°69
- Les six Napoléons - n°84
- Le chien des Baskerville - n°119
- Un scandale en Bohême - n°138
- Le signe des Quatre - n°162
- Le diadème de Béryls - n°202
- Le problème final - n°229

Ellery Queen
Le char de Phaéton - n°16
La course au trésor - n°80
La mort de Don Juan - n°228

Jean Ray
Harry Dickson
- Le châtiment des Foyle - n°38
- Les étoiles de la mort - n°56
- Le fauteuil 27 - n°72
- La terrible nuit du zoo - n°89
- Le temple de fer - n°115
- Le lit du diable - n°133
- L'étrange lueur verte - n°154
- La bande de l'Araignée - n°170
- Les Illustres Fils du Zodiaque - n°190
- L'île de la terreur - n°230

LIBRIO NOIR

Bill Ballinger
Version originale - n°244 (*oct. 98*)

Didier Daeninckx
Main courante - n°161
Le Poulpe/Nazis dans le métro - n°222
Les figurants - n°243 (*oct. 98*)

Jean-Claude Izzo
Vivre fatigue - n°208

Thierry Jonquet
Le pauvre nouveau est arrivé ! - n°223

Daniel Picouly
Tête de nègre - n°209

Jean-Bernard Pouy
Le Poulpe/La petite écuyère a cafté - n°206

Patrick Raynal
Le Poulpe/Arrêtez le carrelage - n°207

Jean-Jacques Reboux
Le Poulpe/La cerise sur le gâteux - n°237

James M. Cain
Le bébé dans le frigidaire - n°238

FANTASTIQUE - S.-F.

223

Achevé d'imprimer en Europe
à Pössneck (Thuringe, Allemagne)
en juillet 1998 pour le compte de EJL
84, rue de Grenelle 75007 Paris
Dépôt légal juillet 1998
1er dépôt légal dans la collection : mai 1998

Diffusion France et étranger : Flammarion